Petits Classiques

LAROUSSE

Collection fondée par Félix Guirand,
Agrégé des Lettres

D1515893

L'Ingénu

Voltaire

Conte philosophique
ou roman

Édition présentée,
annotée et commentée
par Yves STALLONI,
agrégé de lettres modernes,
docteur ès lettres,
professeur de chaire supérieure

ISBN : 978-2-03-583214-6

SOMMAIRE

Avant d'aborder l'œuvre

L'Ingénu
Histoire véritable, tirée des manuscrits du P. Quesnel (1767)
VOLTAIRE

Pour approfondir

AVANT D'ABORDER
L'ŒUVRE

Fiche d'identité de l'auteur

Voltaire

Nom : François-Marie Arouet dit Voltaire.

Naissance : 1694, à Paris. Baptisé le lundi 22 novembre à l'église Saint-André-des-Arts.

Famille : son père est notaire et conseiller du roi ; sa mère meurt alors qu'il est âgé de sept ans.

Formation : placé chez les jésuites du collège Louis-le-Grand (ancien collège de Clermont), puis études à la faculté de droit de Paris.

Début de sa carrière : à partir de 1715, fréquente les milieux libertins et les salons littéraires, compose des écrits satiriques qui le conduisent à la Bastille. En prison rédige *Œdipe* (1717) ; voyages en Europe et intrigues de cour ; continue à écrire pour le théâtre et commence une épopée, *La Ligue*, première version de *La Henriade* ; une altercation avec le chevalier de Rohan-Chabot lui vaut douze jours à la Bastille, puis l'exil en Angleterre (1726).

Premiers succès : rentré en France en 1728, il fait jouer son théâtre ; triomphe avec sa pièce *Zaïre* (1732). Se retire à Cirey, chez Mme du Châtelet. *Les Lettres philosophiques* connaissent un succès de scandale (1734), de même que le poème provocateur *Le Mondain* (1736).

Tournant de sa carrière : il est rappelé à Paris où il est nommé historiographe du roi. Parallèlement à son travail d'historien (*Le Siècle de Louis XIV*, *L'Essai sur les mœurs*), il commence à rédiger des contes satiriques (*Zadig*, 1748, *Micromégas*, 1752) ; accepte l'invitation de Frédéric II de Prusse et part pour Potsdam ; en 1755, il s'installe en Suisse, où il publie *Candide* (1759) et, enfin, dans un village français près de la frontière suisse, Ferney (1760).

Dernière partie de sa carrière : devenu l'"hôte de l'Europe" ; il intervient dans des "affaires" (Calas, Sirven, La Barre), il poursuit son combat en faveur de la tolérance (*Traité sur la tolérance*, 1763 ; *Dictionnaire philosophique portatif*, 1764) sans toutefois abandonner le conte (*L'Ingénu*, 1767).

Mort : le 30 mai 1778.

Voltaire à sa table de travail.
Dessin de Charles Corbett.

Repères chronologiques

Vie et œuvre de Voltaire	Événements politiques et culturels
1694 Naissance à Paris de François-Marie Arouet.	**1703** La Hontan, *Dialogues curieux entre l'auteur et un sauvage de bon sens dans l'Amérique.*
1704-1711 Études chez les jésuites du collège Louis-le-Grand.	
1717 Incarcéré à la Bastille.	**1715** **Mort de Louis XIV. Régence du duc d'Orléans.**
1718 Première tragédie, *Œdipe* ; prend le surnom de Voltaire.	**1721** Montesquieu, *Lettres persanes.*
1723 Première version de *La Henriade.*	**1723** Début du règne de Louis XV.
1726 Deuxième séjour à la Bastille ; exil en Angleterre.	**1731** Abbé Prévost, *Manon Lescaut.*
1731 *Histoire de Charles XII*, publiée anonymement.	**1740** Début du règne de Frédéric II de Prusse. Guerre de la Succession d'Autriche. Richardson, *Pamela.*
1732 Triomphe de *Zaïre*, tragédie.	
1733 Début de la liaison avec Mme du Châtelet.	**1748** Traité d'Aix-la-Chapelle ; fin de la guerre. Montesquieu, *De l'esprit des lois.*
1734 *Lettres philosophiques* ; s'installe à Cirey chez Mme du Châtelet.	**1751** **Début de la publication de l'*Encyclopédie*.**
1743 La tragédie *Mérope* est jouée avec succès.	**1755** Tremblement de terre de Lisbonne. Rousseau, *Discours sur l'origine de l'inégalité parmi les hommes.*
1748 ***Zadig ou la Destinée.***	
1749 Mort de Mme du Châtelet.	**1756** Début de la guerre de Sept Ans : l'Angleterre et la Prusse alliées contre la France, l'Autriche et la Russie.

Repères chronologiques

Vie et œuvre de Voltaire	Événements politiques et culturels
1750 **Départ pour la Prusse où l'appelle Frédéric II.**	**1759** Condamnation de l'*Encyclopédie* ; la publication est interrompue.
1751 *Le Siècle de Louis XIV.*	**1761** Rousseau, *Julie ou la Nouvelle Héloïse.*
1752 *Micromégas.*	**1762** Rousseau, *L'Émile, Du contrat social.*
1753 Retour de Prusse.	**1764** Suppression de l'ordre des Jésuites en France.
1755 Installation aux « Délices », près de Genève.	**1768** Naissance de Chateaubriand.
1759 *Candide.*	**1772** Diderot, *Supplément au Voyage de Bougainville.*
1760 Installation à Ferney.	**1774** **Début du règne de Louis XVI.**
1762 **Début de l'affaire Calas.**	**1775** Beaumarchais, *Le Barbier de Séville.*
1764 *Dictionnaire philosophique portatif.*	**1778** Mort de Rousseau. Alliance de la France avec les États-Unis d'Amérique.
1766 Exécution du chevalier de La Barre.	
1767 ***L'Ingénu.***	
1768 Publication des *Contes.*	
1778 Retour à Paris et mort le 30 mai.	
1791 Transfert des cendres au Panthéon.	

Fiche d'identité de l'œuvre

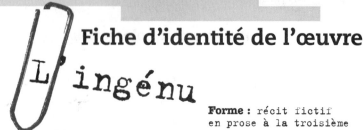

L'ingénu

Genre : conte ou roman philosophique.

Auteur : Voltaire, XVIII⁰ siècle.

Objet d'étude : un mouvement littéraire : les Lumières ; le genre narratif ; l'argumentation.

Structure : vingt chapitres.

Forme : récit fictif en prose à la troisième personne.

Principaux personnages : le Huron (ou l'Ingénu ou Hercule de Kerkabon), Mlle de Saint-Yves, Gordon, le prieur, Mlle de Kerkabon, l'abbé de Saint-Yves, M. de Saint-Pouange, le père Tout-à-tous.

Sujet : Sous le règne de Louis XIV, un jeune Indien du Canada, de la tribu des Hurons, est accueilli à sa descente de bateau par la société bretonne dont il devient le favori. L'Ingénu sera baptisé et aura pour marraine la belle Mlle de Saint-Yves dont il tombe amoureux. Mais divers obstacles empêchent le mariage. Le Huron, après avoir défait courageusement une flotte anglaise, se rend à Paris pour obtenir récompense et autorisation de mariage. Après un trajet mouvementé, il est arrêté et jeté à la Bastille à la suite d'une dénonciation. En prison, il se lie avec Gordon, un janséniste, qui fait son éducation. Pour sauver son fiancé, Mlle de Saint-Yves entreprend des démarches auprès du conseiller d'un ministre, Saint-Pouange, aux instances duquel elle doit céder. L'Ingénu est libéré, mais la jeune fille ne peut supporter son déshonneur : elle tombe malade et meurt brutalement. Le Huron dépasse son chagrin et accepte de devenir "guerrier et philosophe".

Publication : *L'Ingénu* a été publié en juillet 1767 sans nom d'auteur. Voltaire, à qui on attribue la paternité du conte, multiplie les dénégations. Dès sa parution, le livre obtient un immense succès et, dès la première année, connaît sept rééditions.

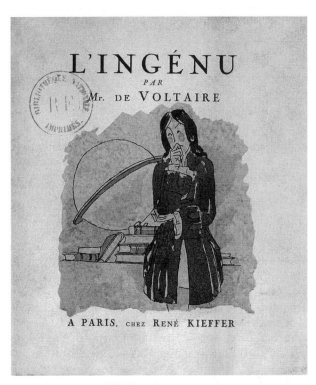

Première page de couverture de l'édition de 1922 de *L'Ingénu*.

L'œuvre dans son siècle

En marge du monde

L'INGÉNU est une œuvre tardive de Voltaire, puisqu'en 1767, année de la publication, l'auteur est âgé de soixante-treize ans et qu'il a commencé à écrire des contes depuis près de vingt ans, *Zadig* datant de 1748. Bien qu'atteignant un âge avancé, bien que se plaignant souvent d'une santé déclinante, ce septuagénaire reste très actif et sa plume est toujours redoutée. En 1755, fatigué de parcourir le monde, déçu par les grands, lassé de Paris où il est jugé indésirable, à peine remis de la douleur du deuil de Mme de Châtelet, il a acheté la propriété des Délices, en Suisse, où il s'est installé avec sa nièce, Mme Denis. C'est dans ce calme relatif qu'il rédige *Candide* (1755) en réponse aux thèses optimistes dont le tremblement de terre de Lisbonne (1er novembre 1755) puis le début de la guerre de Sept Ans (1756-1763) avaient montré les failles.

CETTE PREMIÈRE EXPÉRIENCE de la vie rustique le pousse à rechercher une propriété plus grande, sur le royaume de France, pour y vivre harmonieusement le temps de sa vieillesse, « sans roi, sans intendant, sans jésuites » comme il l'écrit à un ami. En 1758, il achète donc, aux limites de la Suisse, le château de Ferney d'où il mènera ses derniers combats. « Les travaux de la campagne, écrit-il à Diderot en novembre 1758, me paraissent tenir de la philosophie. Les bonnes expériences de physique sont celles de la culture de la terre. » Cette morale humble annonce la parabole du jardin qui conclut *Candide*, dont la parution anonyme a lieu peu après, aux premiers jours de 1759. Le conte est accueilli avec un très grand succès avant d'être interdit à Paris et condamné à Genève. Prudemment, Voltaire en récuse la paternité, mais entretient la diffusion du livre et en propose, deux ans plus tard, une version retouchée et augmentée.

L'œuvre dans son siècle

Les combats du patriarche

Voltaire, que l'on nomme « le patriarche de Ferney » ou encore « l'aubergiste de l'Europe », continue à mener son action en faveur des Lumières et de la justice. À la suite de l'ambitieux *Essai sur les mœurs*, vaste ouvrage historique qui lui a demandé de savantes recherches (1756), il affiche sa fécondité et sa verdeur par des écrits de nature plus polémiques comme le *Poème sur le désastre de Lisbonne* (1756), ou *La Religion du jésuite Berthier* (1759), pamphlet dirigé contre son ennemi personnel, Fréron. Il continue en même temps à faire paraître des livres importants pour la lutte en faveur des idées de tolérance et de progrès, le *Traité sur la Tolérance* (1763) et le *Dictionnaire philosophique portatif* (1764) ou d'autres ouvrages sérieux tels *La Philosophie de l'histoire* (1766), *Questions sur les miracles* (1768) ou une « *Histoire de la Russie* » qu'il commence à rédiger. Son attachement au théâtre reste intact et il écrit et fait jouer de nouvelles tragédies, propose une édition commentée du théâtre de Corneille.

Cette farouche activité littéraire est indissociable de divers engagements personnels dans des affaires judiciaires, dont la plus célèbre concerne Jean Calas, protestant de Toulouse condamné à la torture et à la mort pour le meurtre supposé de son fils dont il aurait souhaité empêcher la conversion au catholicisme. Peu après l'exécution de la sentence, Voltaire, sollicité par la famille, met toutes ses forces dans la bataille pour démontrer les faiblesses de l'accusation, l'innocence de Calas et obtient, en 1765, sa réhabilitation posthume. Ce demi-succès l'encourage à repartir au front pour défendre les époux Sirven, autres huguenots accusés de meurtre qu'il sauvera de la mort. Dans le même temps, un ancien officier français, le comte de Lally-Tollendal, est, sur des présomptions douteuses, enfermé à la Bastille puis exécuté pour trahison en mai 1766. Voltaire intervient à nouveau et obtiendra la cassation du jugement, puis la réhabilitation en 1781.

L'œuvre dans son siècle

L'affaire La Barre

Un autre scandale judiciaire éclate, qui va bouleverser le vieux lutteur et qui pourrait être l'élément déclencheur de la rédaction de *L'Ingénu*. Le 1er juillet 1766 a lieu, à Abbeville, dans le nord de la France, l'exécution d'un jeune homme de bonne famille, le chevalier de La Barre. Il lui est reproché (sans qu'on dispose de preuves) d'avoir participé à la mutilation d'un crucifix installé sur un pont (qui a pu être endommagé accidentellement par une voiture à chevaux), et de ne pas s'être découvert sur le passage d'une procession du Saint-Sacrement. Circonstance aggravante : on aurait retrouvé chez lui des ouvrages compromettants, dont le *Dictionnaire philosophique* de Voltaire, au contenu jugé subversif. Le présumé coupable est soumis à la torture – qu'il endure avec un grand courage – puis il est exécuté et son corps est brûlé en même temps que les livres responsables de son blasphème.

À Ferney, la nouvelle arrive le 7 juillet et bouleverse Voltaire qui écrit à Damilaville le même jour : « Je me tais ; j'ai trop à dire. » Le 16 juillet, son indignation a grandi comme le prouve un autre extrait d'une lettre au comte d'Argental : « L'atrocité de cette aventure me saisit d'horreur et de colère. Je me repens bien de m'être ruiné à bâtir et à faire du bien dans la lisière d'un pays où l'on commet de sang-froid, et en allant dîner, des barbaries qui feraient frémir des sauvages ivres. » Il réclame des informations sur la nature des événements, sur le déroulement du procès, alerte tous ses correspondants et entreprend la rédaction d'un mémoire, présenté sous forme de lettre, intitulé *Relation de la mort du chevalier de La Barre*, qu'il ne signe pas mais prend la peine de faire diffuser. Il reviendra à la charge en 1775 avec *Le Cri d'un innocent*, mais en vain : La Barre ne sera pas réhabilité. Pour libérer par le rire son trop-plein de révolte, il lui reste l'arme du conte. *L'Ingénu*, où apparaissent les dysfonctionnements de la justice et le fanatisme religieux, est mis en chantier en cette période et paraîtra en juillet de l'année suivante.

L'œuvre dans son siècle

Les questions religieuses

Cette exécution cruelle pour une faute qui ne méritait, comme le répète Voltaire, que quelques jours d'emprisonnement à Saint-Lazare, montre à quel point les questions religieuses sont devenues sensibles. « La religion avait besoin de ce funeste exemple », écrit ironiquement Voltaire dans son *Mémoire*, et il réfute immédiatement l'argument : « Rien ne lui fait plus de tort. » Le moment de *L'Ingénu* correspond à une période où l'Église, pour tenter de regagner le terrain perdu, accentue son intransigeance. En 1764, le roi décide la dissolution de l'ordre des Jésuites et leur expulsion de France. En mai 1767, il ordonne la suppression des couvents. Les protestants, contraints de s'exiler à la suite de la révocation de l'édit de Nantes (1685) qui interdit la pratique de leur culte, font entendre leur voix de l'étranger ; ceux qui sont restés en France sont contraints de cacher leur foi ou sont l'objet de brimades et de persécutions (Calas et Sirven n'auraient jamais été condamnés s'ils avaient été catholiques). Les jansénistes, que Louis XIV dans les dernières années de son règne a souhaité éliminer, tentent de survivre, mais ont à souffrir du climat général d'intolérance et de suspicion. En déplaçant son récit sous le règne du Roi-Soleil, (puisque *L'Ingénu* commence en 1689), Voltaire souhaite d'abord brouiller les pistes mais surtout choisir un moment d'obscurantisme religieux dont les échos sont encore présents. La devise qu'il s'est fixée, « Écrasons l'infâme » (c'est-à-dire la superstition, le fanatisme religieux et l'intolérance), se lit dans le filigrane du conte.

L'arbitraire du pouvoir

L'actualité va fournir à Voltaire des motifs de protestation et de satire autres que religieux. Même si l'action des philosophes parvient à gagner quelques espaces de liberté, le régime reste celui de l'autoritarisme, de la censure et de l'arbitraire royal. Le symbole en est les lettres de cachet au centre de l'intrigue de

L'œuvre dans son siècle

L'Ingénu. Le ministre Saint-Florentin, cousin de Louvois, devenu dans le roman M. de Saint-Pouange, passait pour être particulièrement prodigue de ces arrêtés brutaux et injustifiés. Malesherbes, responsable de la Librairie et ouvert aux idées des Lumières, regrettait, dans une note adressée au roi, ces abus de pouvoir : « Aujourd'hui on les [les lettres de cachet] croit nécessaires toutes les fois qu'un homme du peuple a manqué au respect dû à une personne considérable, comme si les gens puissants n'avaient pas assez d'avantages. » On se souvient que Voltaire fut emprisonné à la Bastille et Diderot au château de Vincennes.

Certains esprits éclairés mettent en péril leur position pour défendre leurs convictions, comme le procureur au Parlement de Rennes, La Chalotais, auteur de textes audacieux sur l'éducation et d'autres hostiles aux jésuites pour lesquels il est incarcéré, en 1766, à Saint-Malo d'abord, à la Bastille ensuite. Dans une lettre admirative, Voltaire lui renouvelle son soutien : « J'ai vu l'empire de la raison s'étendre, ou plutôt ses fers devenus plus légers. Encore quelques hommes comme vous, monsieur, et le genre humain en vaudra mieux » (26 septembre 1764), Gordon, le sage janséniste, pourrait devoir quelque chose au courageux procureur de Rennes.

À *propos de sauvages*

On mesure ce que les motivations religieuses et politiques doivent à la rédaction de notre roman, et l'on pourrait mentionner d'autres échos de l'actualité du temps, comme le conflit colonial qui oppose Anglais et Français à propos du Canada (voir le chapitre VII), ou le ressentiment contre les docteurs de Sorbonne qui veulent censurer le *Bélisaire* de Marmontel.

Mais tout cela ne fait pas un conte. Le sujet de la fiction sera emprunté à une thématique chère aux Lumières, celle qu'on résume sous la formule « le bon sauvage ». Le débat a pris naissance à l'occasion des nombreux récits de voyageurs et d'explo-

L'œuvre dans son siècle

rateurs qui, dès le XVIIᵉ siècle, ont éveillé la vieille Europe à l'intérêt pour d'autres civilisations, telle celle de l'Orient évoquée plaisamment par Montesquieu dans les *Lettres persanes* (1721). Le développement de la colonisation dans le Nouveau Monde déplace l'intérêt en faveur de l'Amérique qui devient l'objet d'une véritable vogue, comme l'attestent les *Lettres iroquoises* de Maubert de Gouvest (1752) ou les *Lettres illinoises* publiées à Londres en 1766 ou encore un ouvrage qui a connu, dès sa parution, un large retentissement, les *Dialogues curieux entre l'auteur et un sauvage de bon sens dans l'Amérique* du baron de La Hontan (1703-1705).

Dᴇ ᴛᴇʟs ʟɪᴠʀᴇs et d'autres, que ce soit des fictions utopiques sur l'Amérique ou des récits enjolivés de voyageurs ou de missionnaires, comme le père Lafitau, auteur des *Mœurs des sauvages américains comparées aux mœurs des premiers temps* (1724), vont contribuer à créer une tradition qui fait du sauvage le représentant d'une humanité innocente, épargnée par les tares de la civilisation, libre et pure. Dans un esprit de générosité, d'ouverture à l'autre et de contestation de ses propres modèles sociaux, l'Occident va progressivement abandonner ses réflexes ethnocentristes au profit d'une vision idéalisée de l'homme naturel. Rousseau, dans le *Discours sur l'origine de l'inégalité parmi les hommes* (1755), conteste la hiérarchie qui valorise le civilisé et vante les mérites d'une primitivité à jamais perdue. Cette position va lui valoir la réputation, largement exagérée, d'être l'inventeur ou le défenseur inconditionnel du « bon sauvage ».

Vᴏʟᴛᴀɪʀᴇ, avec *L'Ingénu*, va exploiter la mode des récits exotiques d'inspiration américaine en infléchissant le débat autour de l'état de nature. À la peinture idyllique de « natifs » dotés de toutes les qualités, il oppose un sauvage (qui, à vrai dire, ne l'est qu'à moitié par son ascendance bretonne), certes séduisant par sa droiture et sa franchise, mais incapable de s'adapter aux exigences de la vie sociale. Son Huron peut confirmer, par sa vitalité et son bon sens, la supériorité de l'homme naturel, mais montre aussi, par sa brutalité rustique et ses extravagances, les bienfaits des mœurs policées observées par les sociétés civilisées. Même si la fraîcheur de son regard naïf doit encourager les sociétés avancées à tendre vers plus de justice et de tolérance.

Le passage à l'écriture

Comme il l'a expérimenté pour ses précédents contes, Voltaire va s'efforcer de réunir dans son nouveau récit des thèmes dans l'air du temps. La matière ne manque pas avec les controverses religieuses, les débordements de la justice, les spéculations philosophiques sur l'état de nature. Il lui reste à inventer une histoire, à imaginer des situations qui permettent d'introduire ces divers sujets. La recette de *Candide* sera reprise : se rapprocher du roman, genre jugé inférieur mais qui a le mérite de toucher un large public pas forcément ouvert aux questions philosophiques ; choisir une intrigue sentimentale traditionnelle – deux jeunes gens qui s'aiment séparés par des difficultés extérieures – ; organiser le récit autour d'une formation : un jeune homme mal dégrossi qui va faire son expérience du monde ; assortir le tout d'une bonne dose de fantaisie, de satire et d'humour.

On ne sait pas grand-chose sur la date de début de la composition de *L'Ingénu* que certains indices permettent de fixer à l'automne 1766. Achevé probablement en mai 1767 (mais on parle également d'une rédaction en deux mois), le livre paraît en juillet sans nom d'auteur chez Cramer à Genève. Au début de septembre, il est aussi imprimé à Paris, chez un autre éditeur, Lacombe, et toujours sans nom d'auteur. Comme il l'avait fait pour *Candide,* Voltaire va entretenir le mystère en refusant d'endosser la paternité du conte. Le 26 août, il écrit à Damilaville : « J'ai fait venir enfin *L'Ingénu*. Cet ouvrage est de l'auteur de *Compère Mathieu*. C'est un roman fait pour amuser

L'œuvre dans son siècle

quelques temps les gens oisifs ; il m'a paru fort innocent, mais on me l'attribue (comme Dieu merci, on m'impute tout). On le trouvera très coupable. » À d'autres correspondants, il tient le même langage et, poussant encore plus loin la mystification, il confie le 12 septembre 1767 : « Je ne peux concevoir comment on a permis en France l'impression du livre de Laurent intitulé *L'Ingénu* ; cela me passe » (à Damilaville).

Le succès du livre est immédiat et, à la fin de l'année 1767, sept nouvelles éditions ont vu le jour, malgré la mobilisation de la censure et du parti dévot. Le sous-titre de l'ouvrage intrigue et attise la curiosité : « Histoire véritable tirée des manuscrits du père Quesnel. » Le supposé auteur, Pasquier Quesnel, est un oratorien janséniste cité dans *Le Siècle de Louis XIV*, dont le nom doit faire autorité. L'expression « histoire véritable », qui donne du crédit à l'ouvrage, reprend parodiquement une étiquette littéraire appliquée moins à des récits réalistes qu'à des fictions romanesques.

Lire l'œuvre aujourd'hui

L'Ingénu ne jouit pas du prestige universel dont bénéficie *Candide*, bien qu'il occupe une place de choix dans la production voltairienne. Dans un billet adressé à son éditeur Cramer, l'auteur avouait sa préférence : « *L'Ingénu* vaut mieux que *Candide*, en ce qu'il est infiniment plus vraisemblable » (juillet 1757). Et il est vrai que l'histoire du Huron, moins didactique que celle du Westphalien, se passe en totalité en France et aborde des thèmes qui touchaient les contemporains et nous concernent toujours.

Contre l'intolérance et le fanatisme

Les débats autour des questions religieuses, qu'elles touchent les jésuites, les protestants ou les jansénistes, peuvent nous paraître aujourd'hui vieillis et ne nous retenir qu'à titre documentaire. L'interdiction par l'Église catholique du mariage d'un filleul avec sa marraine, point de départ du roman et obstacle initial au bonheur du héros, n'est qu'un usage lointain que l'on considère avec scepticisme. De même que la satire anticléricale contre le prieur, l'abbé de Saint-Yves ou le père Tout-à-tous. Les attaques contre l'absolutisme royal nous permettent de vérifier le courage et le talent de pamphlétaire de Voltaire, mais relèvent d'une époque révolue.

Pourtant *L'Ingénu* dépasse l'œuvre de circonstance par sa volonté de défendre les valeurs de tolérance et de respect des libertés. Dans une lettre qu'il adressait à Damilaville, Voltaire désignait clairement ces adversaires du philosophe que sont l'obscurantisme et le fanatisme : « Je sais avec quelle fureur le fanatisme s'élève contre la philosophie. Elle a deux filles qu'il voudrait faire périr comme Calas, ce sont la Vérité et la Tolérance : tandis que la philosophie ne veut que désarmer les enfants du fanatisme, le Mensonge et la Persécution. » (1er mars 1765). Nous sommes ici de plain-pied dans l'engagement des Lumières, mouvement de pensée en faveur de l'émancipation des esprits et de l'accès au progrès. Derrière la satire sociale des notables bretons, la satire politique des gens de la cour, la satire religieuse des ecclésiastiques hypocrites et criminels, il faut discerner l'appel à un ordre social plus juste, plus égalitaire, plus respectueux de la personne humaine. La leçon est généreuse, et le ton léger ou persifleur ne doit pas diminuer la portée militante d'un livre destiné à vérifier cette affirmation de Voltaire : « Jamais vingt volumes in-folio ne feront la révolution : ce sont les petits livres portatifs à trente sous qui sont à craindre » (lettre à d'Alembert du 5 avril 1765).

Une réflexion sur la condition humaine

On pourrait également juger datée l'exploitation du thème du bon sauvage. La confrontation de l'état naturel et de la vie civilisée ne semble plus d'actualité à l'époque du rétrécissement de la planète, du développement des communications et de la mondialisation. Toutefois la question nous concerne toujours si on la considère du point de vue ethnologique du rapport à autrui et du relativisme des cultures. Plutôt que de se demander, comme y invite le roman, si les lois humaines rendent l'homme meilleur (ce que pense Voltaire) ou si elles contribuent à le corrompre (position de Rousseau), nous pouvons nous interroger sur ce qui permet d'identifier la nature humaine, sur les mérites comparés des divers modes d'être, sur le droit à la différence parfois bafoué par l'ethnocentrisme européen.

Certes le Huron peut dire, conformément à la foi des Lumières envers les progrès de la raison : « J'ai été changé de brute en homme » (chap. XI), mais son évolution nous amène aussi à prendre en considération des façons de penser et d'agir plus libres, plus authentiques, plus en rapport avec la vérité de l'homme. Les Persans de Montesquieu nous encourageaient déjà à corriger notre arrogance d'Occidentaux, le primitif de Rousseau voulait illustrer le modèle perdu d'un idéal naturel, le Tahitien de Diderot (dans le *Supplément au Voyage de Bougainville*, 1772) montrait sa capacité à organiser une vie sociale harmonieuse. Le Huron de Voltaire, né de parents bretons, est un intermédiaire qui retient de ses origines canadiennes un peu de la pureté originelle, de la simplicité (comme l'indique son nom), de l'absence de préjugés moraux et sociaux, mais qui va progresser en matière de socialisation grâce à la loi positive de la vieille Europe. Il incarne l'homme nouveau qui sait conserver quelque chose de ses racines naturelles tout en intégrant la discipline nécessaire à la vie civilisée.

La dimension romanesque

Si, enfin, *L'Ingénu* continue à intéresser le lecteur moderne, c'est que le livre ne se contente pas d'être le prétexte à une démonstration abstraite mais qu'il s'inscrit dans un registre qu'il exploite et parodie à la fois, le roman. Cette dimension se perçoit à deux aspects : la structure d'éducation, l'argument sentimental.

Comme on le ferait pour *Candide*, on est en droit de parler, à propos de *L'Ingénu*, de roman d'éducation (ou de formation ou d'apprentissage, les nuances sont ténues) dans la mesure où l'une des lignes narratives dominantes est, là encore, le processus qui permet à un jeune homme naïf et sans famille de conquérir une forme de maturité susceptible de l'aider à s'intégrer à la société. Une telle initiation suppose le passage par diverses épreuves, sentimentales d'abord, mais également politiques ou militaires (ce qui est bien le cas du Huron) et l'aide d'un mentor, rôle qu'on peut attribuer ici à Gordon, le vieux théologien. À la fin de son parcours, le héros doit être transformé, prêt à affronter les réalités de l'existence, ce qui est encore le cas d'Hercule qui, nous dit le texte, sera « à la fois un guerrier et un philosophe intrépide » (chap. XX).

L'autre ressort romanesque est l'histoire d'amour et le personnage de Mlle de Saint-Yves. Voltaire, qui se déclare souvent hostile au sentimentalisme à la mode dans la littérature de fiction, semble reprendre ici (avec un certain recul parodique) les recettes éprouvées du romancier Richardson, de son traducteur et continuateur Prévost ou de Rousseau dont *La Nouvelle*

Lire l'œuvre aujourd'hui

Héloïse (1762) a comblé les attentes d'un lectorat soudain converti à la sensibilité. *L'Ingénu* raconte l'histoire d'une passion impossible en utilisant les ingrédients des romans sensibles : une jeune fille aussi belle que chaste, des situations extrêmes (tentative de viol, séduction forcée), un destin tragique (le don de soi, la maladie et la mort). Difficile de savoir si Voltaire s'amuse à contrefaire malicieusement les stéréotypes des romans à la mode ou s'il sacrifie lui-même à la mode de l'émotion, notamment quand il écrit une phrase du type : « Qu'on imagine une âme vertueuse et noble, humiliée de son opprobre, enivrée de tendresse... » (chap. XVIII). Le pathétique participe peut-être du jeu ironique, mais pourrait bien être aussi une concession du vieil homme à la vogue grandissante de la tonalité larmoyante. La valeur édifiante du sacrifice de la Saint-Yves s'accorde d'ailleurs à la leçon philosophique transmise par l'éducation du sauvage. La réussite de *L'Ingénu* et sa modernité tiennent au juste équilibre entre une diversité thématique et une unité narrative, une peinture d'époque et un message intemporel.

Gravure à l'eau-forte de Bernard Naudin
pour l'édition de 1927 de *L'Ingénu*.

L'Ingénu

Voltaire

Conte philosophique
ou romam (1767)

Histoire véritable,
tirée des manuscrits
du P. Quesnel

CHAPITRE I
Comment le prieur de Notre-Dame de la Montagne et Mlle sa sœur rencontrèrent un Huron

UN JOUR, saint Dunstan[1], Irlandais de nation et saint de profession, partit d'Irlande sur une petite montagne qui vogua vers les côtes de France, et arriva par cette voiture[2] à la baie de Saint-Malo. Quand il fut à bord[3], il donna la
5 bénédiction à sa montagne, qui lui fit de profondes révérences, et s'en retourna en Irlande par le même chemin qu'elle était venue.

Dunstan fonda un petit prieuré dans ces quartiers-là, et lui donna le nom de *prieuré de la Montagne*, qu'il porte
10 encore, comme un chacun sait.

En l'année 1689, le 15 juillet au soir, l'abbé de Kerkabon, prieur de Notre-Dame de la Montagne, se promenait sur le bord de la mer avec Mlle de Kerkabon, sa sœur, pour prendre le frais. Le prieur, déjà un peu sur l'âge, était un
15 très bon ecclésiastique, aimé de ses voisins, après l'avoir été autrefois de ses voisines. Ce qui lui avait donné surtout une grande considération, c'est qu'il était le seul

---

1. **Saint Dunstan :** moine bénédictin né en Angleterre, élevé en Irlande, qui devint évêque de Worcester puis de Canterbury.
2. **Voiture :** moyen de transport (sens étymologique).
3. **À bord :** débarqué sur le rivage.

bénéficier[1] du pays qu'on ne fût pas obligé de porter dans son lit quand il avait soupé avec ses confrères. Il savait assez honnêtement de théologie, et, quand il était las de lire saint Augustin[2], il s'amusait avec Rabelais : aussi tout le monde disait du bien de lui.

Mlle de Kerkabon, qui n'avait jamais été mariée, quoiqu'elle eût grande envie de l'être, conservait de la fraîcheur à l'âge de quarante-cinq ans ; son caractère était bon et sensible ; elle aimait le plaisir, et était dévote.

Le prieur disait à sa sœur, en regardant la mer : « Hélas ! c'est ici que s'embarqua notre pauvre frère avec notre chère belle-sœur, Mme de Kerkabon sa femme, sur la frégate *l'Hirondelle,* en 1669, pour aller servir en Canada. S'il n'avait pas été tué, nous pourrions espérer de le revoir encore.

— Croyez-vous, disait Mlle de Kerkabon, que notre belle-sœur ait été mangée par les Iroquois[3], comme on nous l'a dit ? Il est certain que, si elle n'avait pas été mangée, elle serait revenue au pays. Je la pleurerai toute ma vie : c'était une femme charmante ; et notre frère, qui avait beaucoup d'esprit, aurait fait assurément une grande fortune[4]. »

Comme ils s'attendrissaient l'un et l'autre à ce souvenir, ils virent entrer dans la baie de Rance[5] un petit bâtiment qui arrivait avec la marée : c'étaient des Anglais qui venaient vendre quelques denrées de leur pays. Ils sautèrent à terre, sans regarder M. le prieur ni Mlle sa sœur, qui fut très choquée du peu d'attention qu'on avait pour elle.

---

1. **Bénéficier :** religieux qui jouit des revenus d'un « bénéfice », c'est-à-dire ce que rapporte un couvent ou une abbaye.
2. **Saint Augustin (354-430) :** évêque d'Hippone en Afrique du Nord, grand théologien et Père de l'Église.
3. **Iroquois :** Indiens d'Amérique du Nord vivant près des Grands Lacs.
4. **Une grande fortune :** une belle carrière.
5. **Rance :** petit fleuve de Bretagne se jetant près de Dinan.

Chapitre I

Il n'en fut pas de même d'un jeune homme très bien fait, qui s'élança d'un saut par-dessus la tête de ses compagnons, et se trouva vis-à-vis mademoiselle. Il lui fit un signe de tête, n'étant pas dans l'usage de faire la révé-
50 rence. Sa figure et son ajustement attirèrent les regards du frère et de la sœur. Il était nu-tête et nu-jambes, les pieds chaussés de petites sandales, le chef[1] orné de longs cheveux en tresses, un petit pourpoint qui serrait une taille fine et dégagée ; l'air martial et doux. Il tenait dans sa
55 main une petite bouteille d'eau des Barbades[2], et dans l'autre une espèce de bourse dans laquelle était un gobelet et de très bons biscuits de mer. Il parlait français fort intelligiblement. Il présenta de son eau des Barbades à Mlle de Kerkabon et à M. son frère ; il en but avec eux ; il leur en
60 fit reboire encore, et tout cela d'un air si simple et si naturel que le frère et la sœur en furent charmés. Ils lui offrirent leurs services, en lui demandant qui il était et où il allait. Le jeune homme leur répondit qu'il n'en savait rien, qu'il était curieux, qu'il avait voulu voir comment les
65 côtes de France étaient faites, qu'il était venu, et allait s'en retourner.

M. le prieur, jugeant à son accent qu'il n'était pas anglais, prit la liberté de lui demander de quel pays il était. « Je suis huron », lui répondit le jeune homme.
70 Mlle de Kerkabon, étonnée et enchantée de voir un Huron[3] qui lui avait fait des politesses, pria le jeune homme à souper : il ne se fit pas prier deux fois, et tous trois allèrent de compagnie au prieuré de Notre-Dame de la Montagne.
75 La courte et ronde demoiselle le regardait de tous ses petits yeux, et disait de temps en temps au prieur : « Ce grand garçon-là a un teint de lis et de rose ! qu'il a une

---

1. **Le chef :** la tête (emploi archaïque).
2. **Eau des Barbades :** rhum fabriqué à la Barbade, une île des Antilles.
3. **Huron :** Indien d'une tribu d'Amérique du Nord vivant au Canada.

belle peau pour un Huron ! – Vous avez raison, ma
sœur », disait le prieur. Elle faisait cent questions coup sur
coup, et le voyageur répondait toujours fort juste. ₈₀

Le bruit se répandit bientôt qu'il y avait un Huron au
prieuré. La bonne compagnie du canton s'empressa d'y
venir souper. L'abbé de Saint-Yves y vint avec Mlle sa
sœur, jeune Basse-Brette[1], fort jolie et très bien élevée. Le
bailli[2], le receveur des tailles[3] et leurs femmes furent du ₈₅
souper. On plaça l'étranger entre Mlle de Kerkabon et Mlle
de Saint-Yves. Tout le monde le regardait avec admiration ;
tout le monde lui parlait et l'interrogeait à la fois ; le
Huron ne s'en émouvait pas. Il semblait qu'il eût pris pour
sa devise celle de milord Bolingbroke[4] : *nihil admirari*[5]. ₉₀
Mais à la fin, excédé de tant de bruit, il leur dit avec assez
de douceur, mais avec un peu de fermeté : « Messieurs,
dans mon pays on parle l'un après l'autre ; comment voulez-
vous que je vous réponde quand vous m'empêchez de
vous entendre ? » La raison fait toujours rentrer les hommes ₉₅
en eux-mêmes pour quelques moments. Il se fit un grand
silence. M. le bailli, qui s'emparait toujours des étrangers
dans quelque maison qu'il se trouvât, et qui était le plus
grand questionneur de la province, lui dit, en ouvrant la
bouche d'un demi-pied[6] : « Monsieur, comment vous ₁₀₀
nommez-vous ? – On m'a toujours appelé *l'Ingénu*, reprit
le Huron, et on m'a confirmé ce nom en Angleterre, parce
que je dis toujours naïvement ce que je pense, comme je
fais tout ce que je veux.

---

1. **Basse-Brette :** habitante de Basse-Bretagne (forme archaïque).
2. **Bailli :** représentant du roi en province, responsable de la justice.
3. **Taille :** impôt direct que ne payaient ni la noblesse ni le clergé.
4. **Bolingbroke :** homme politique et penseur anglais (1678-1751), ami de Voltaire.
5. *Nihil admirari :* devise du poète latin Horace qui signifie « ne s'éton-ner de rien » (*Épitres,* 1, 6).
6. **Demi-pied :** un peu plus de 16 centimètres (le pied mesure 32,4 cm).

105   — Comment, étant né Huron, avez-vous pu, monsieur, venir en Angleterre ? — C'est qu'on m'y a mené ; j'ai été fait, dans un combat, prisonnier par les Anglais, après m'être assez bien défendu ; et les Anglais, qui aiment la bravoure, parce qu'ils sont braves et qu'ils sont aussi hon-
110   nêtes que nous, m'ayant proposé de me rendre à mes parents ou de venir en Angleterre, j'acceptai le dernier parti parce que de mon naturel j'aime passionnément à voir du pays.

     — Mais, monsieur, dit le bailli avec son ton imposant,
115   comment avez-vous pu ainsi abandonner père et mère ?
— C'est que je n'ai jamais connu ni père, ni mère », dit l'étranger. La compagnie s'attendrit, et tout le monde répétait : *Ni père, ni mère !* « Nous lui en servirons, dit la maîtresse de la maison à son frère le prieur ; que ce M. le
120   Huron est intéressant ! » L'ingénu la remercia avec une cordialité noble et fière, et lui fit comprendre qu'il n'avait besoin de rien.

     « Je m'aperçois, M. l'Ingénu, dit le grave bailli, que vous parlez mieux français qu'il n'appartient à un Huron. — Un
125   Français, dit-il, que nous avions pris dans ma grande jeunesse en Huronie, et pour qui je conçus beaucoup d'amitié, m'enseigna sa langue ; j'apprends très vite ce que je veux apprendre. J'ai trouvé en arrivant à Plymouth un de vos Français réfugiés, que vous appelez *huguenots*[1], je ne
130   sais pourquoi ; il m'a fait faire quelques progrès dans la connaissance de votre langue ; et, dès que j'ai pu m'exprimer intelligiblement, je suis venu voir votre pays, parce que j'aime assez les Français quand ils ne font pas trop de questions. »
135   L'abbé de Saint-Yves, malgré ce petit avertissement, lui demanda laquelle des trois langues lui plaisait davantage, la huronne, l'anglaise ou la française. « La huronne, sans

---

1. **Huguenots :** protestants calvinistes.

contredit, répondit l'Ingénu. – Est-il possible ? s'écria Mlle de Kerkabon. J'avais toujours cru que le français était la plus belle de toutes les langues après le bas-breton. » 140

Alors ce fut à qui demanderait à l'Ingénu comment on disait en huron du tabac, et il répondait *taya* ; comment on disait manger, et il répondait *essenten*. Mlle de Kerkabon voulut absolument savoir comment on disait faire l'amour[1] ; il lui répondit *trovander*[2], et soutint, non 145 sans apparence de raison, que ces mots-là valaient bien les mots français et anglais qui leur correspondaient. *Trovander* parut très joli à tous les convives.

Monsieur le prieur, qui avait dans sa bibliothèque la grammaire huronne dont le révérend père Sagar- 150 Théodat[3], récollet[4], fameux missionnaire, lui avait fait présent, sortit de table un moment pour l'aller consulter. Il revint tout haletant de tendresse et de joie. Il reconnut l'Ingénu pour un vrai Huron. On disputa un peu sur la multiplicité des langues, et on convint que, sans l'aventure 155 de la tour de Babel[5], toute la terre aurait parlé français.

L'interrogant[6] bailli, qui jusque-là s'était défié un peu du personnage, conçut pour lui un profond respect ; il lui parla avec plus de civilité qu'auparavant, de quoi l'Ingénu ne s'aperçut pas. 160

---

1. **Faire l'amour :** faire la cour à une femme.
2. **Taya, essenten, trovander :** « Tous ces noms sont en effet hurons » (note de Voltaire).
3. **Sagard-Théodat :** auteur du *Grand voyage au pays des Hurons avec un dictionnaire de la langue huronne* (1632).
4. **Récollet :** moine appartenant à l'ordre des Franciscains, ordre qui envoyait des missionnaires au Canada pour évangéliser les Indiens.
5. **La tour de Babel :** allusion à un épisode de la Bible (Genèse, ch. 11, v. 1-9) suivant lequel les hommes élevèrent une tour pour se rapprocher du ciel. Dieu, pour les punir de leur orgueil, fit détruire la tour et introduisit la diversité des langues.
6. **Interrogant :** néologisme de Voltaire pour définir celui qui pose beaucoup de questions.

Mlle de Saint-Yves était fort curieuse de savoir comment on faisait l'amour au pays des Hurons. « En faisant de belles actions, répondit-il, pour plaire aux personnes qui vous ressemblent. » Tous les convives applaudirent avec éton-
nement. Mlle de Saint-Yves rougit, et fut fort aise. Mlle de Kerkabon rougit aussi, mais elle n'était pas si aise ; elle fut un peu piquée que la galanterie ne s'adressât pas à elle, mais elle était si bonne personne que son affection pour le Huron n'en fut point du tout altérée. Elle lui demanda,
avec beaucoup de bonté, combien il avait eu de maîtresses[1] en Huronie. « Je n'en ai jamais eu qu'une, dit l'Ingénu ; c'était Mlle Abacaba, la bonne amie de ma chère nourrice ; les joncs ne sont pas plus droits, l'hermine n'est pas plus blanche, les moutons sont moins doux, les aigles moins
fiers, et les cerfs ne sont pas si légers que l'était Abacaba. Elle poursuivait un jour un lièvre dans notre voisinage, environ à cinquante lieues de notre habitation. Un Algonquin[2] mal élevé, qui habitait cent lieues[3] plus loin, vint lui prendre son lièvre ; je le sus, j'y courus, je terrassai
l'Algonquin d'un coup de massue, je l'amenai aux pieds de ma maîtresse, pieds et poings liés. Les parents d'Abacaba voulurent le manger, mais je n'eus jamais de goût pour ces sortes de festins ; je lui rendis la liberté, j'en fis un ami. Abacaba fut si touchée de mon procédé, qu'elle me préféra
à tous ses amants[4]. Elle m'aimerait encore si elle n'avait pas été mangée par un ours. J'ai puni l'ours, j'ai porté long-temps sa peau, mais cela ne m'a pas consolé. »

Mlle de Saint-Yves, à ce récit, sentait un plaisir secret d'apprendre que l'Ingénu n'avait eu qu'une maîtresse, et
qu'Abacaba n'était plus ; mais elle ne démêlait pas la cause

---

1. **Maîtresse :** au sens de « fiancée », c'est-à-dire femme que l'on aime et dont on est aimé.
2. **Algonquin :** Indien de l'ethnie la plus nombreuse d'Amérique du Nord.
3. **Lieue :** environ quatre kilomètres.
4. **Amant :** équivalent masculin de « maîtresse », qui aime et qui est aimé.

de son plaisir. Tout le monde fixait les yeux sur l'Ingénu ; on le louait beaucoup d'avoir empêché ses camarades de manger un Algonquin.

L'impitoyable bailli, qui ne pouvait réprimer sa fureur de questionner, poussa enfin la curiosité jusqu'à s'informer de quelle religion était M. le Huron ; s'il avait choisi la religion anglicane, ou la gallicane, ou la huguenote. « Je suis de ma religion, dit-il, comme vous de la vôtre. — Hélas ! s'écria la Kerkabon, je vois bien que ces malheureux Anglais n'ont pas seulement songé à le baptiser. — Eh ! mon Dieu, disait Mlle de Saint-Yves, comment se peut-il que les Hurons ne soient pas catholiques ? Est-ce que les RR. PP.[1] jésuites ne les ont pas tous convertis ? » L'Ingénu l'assura que dans son pays on ne convertissait personne ; que jamais un vrai Huron n'avait changé d'opinion, et que même il n'y avait point dans sa langue de terme qui signifiât *inconstance*. Ces derniers mots plurent extrêmement à Mlle de Saint-Yves.

« Nous le baptiserons, nous le baptiserons, disait la Kerkabon à M. le prieur ; vous en aurez l'honneur, mon cher frère ; je veux absolument être sa marraine ; M. l'abbé de Saint-Yves le présentera sur les fonts[2] : ce sera une cérémonie bien brillante ; il en sera parlé dans toute la Basse-Bretagne, et cela nous fera un honneur infini. » Toute la compagnie seconda la maîtresse de la maison ; tous les convives criaient : « Nous le baptiserons ! » L'Ingénu répondit qu'en Angleterre on laissait vivre les gens à leur fantaisie. Il témoigna que la proposition ne lui plaisait point du tout, et que la loi des Hurons valait pour le moins la loi des Bas-Bretons ; enfin, il dit qu'il repartait le lendemain. On acheva de vider sa bouteille d'eau des Barbades, et chacun s'alla coucher.

---

1. **RR.PP.** : Révérends Pères (abréviation).
2. **Fonts** : fonts baptismaux, bassin où se pratique le baptême chrétien.

Quand on eut reconduit l'Ingénu dans sa chambre, Mlle de Kerkabon et son amie Mlle de Saint-Yves ne purent se
225 tenir de regarder par le trou d'une large serrure pour voir comment dormait un Huron. Elles virent qu'il avait étendu la couverture du lit sur le plancher, et qu'il reposait dans la plus belle attitude du monde.

CHAPITRE II
Le Huron, nommé l'Ingénu, reconnu de ses parents

L'INGÉNU, selon sa coutume, s'éveilla avec le soleil au chant du coq, qu'on appelle en Angleterre et en Huronie, *la trompette du jour*. Il n'était pas comme la bonne compagnie qui languit dans un lit oiseux[1] jusqu'à ce que le soleil
5 ait fait la moitié de son tour, qui ne peut ni dormir ni se lever, qui perd tant d'heures précieuses dans cet état mitoyen[2] entre la vie et la mort, et qui se plaint encore que la vie est trop courte.

---

1. **Oiseux :** qui ne sert à rien, qui ne fait rien (doublet vieilli de « oisif »).
2. **Mitoyen :** intermédiaire.

Il avait déjà fait deux ou trois lieues, il avait tué trente pièces de gibier à balle seule[1], lorsqu'en rentrant il trouva M. le prieur de Notre-Dame de la Montagne et sa discrète sœur, se promenant en bonnet de nuit dans leur petit jardin. Il leur présenta toute sa chasse, et, en tirant de sa chemise une espèce de petit talisman qu'il portait toujours à son cou, il les pria de l'accepter en reconnaissance de leur bonne réception. « C'est ce que j'ai de plus précieux, leur dit-il ; on m'a assuré que je serais toujours heureux tant que je porterais ce petit brimborion[2] sur moi, et je vous le donne afin que vous soyez toujours heureux. »

Le prieur et mademoiselle sourirent avec attendrissement de la naïveté de l'Ingénu. Ce présent consistait en deux petits portraits assez mal faits, attachés ensemble avec une courroie fort grasse.

Mlle de Kerkabon lui demanda s'il y avait des peintres en Huronie. « Non, dit l'Ingénu, cette rareté me vient de ma nourrice ; son mari l'avait eue par conquête, en dépouillant quelques Français du Canada qui nous avaient fait la guerre ; c'est tout ce que j'en ai su. »

Le prieur regardait attentivement ces portraits ; il changea de couleur, il s'émut, ses mains tremblèrent. « Par Notre-Dame de la Montagne, s'écria-t-il, je crois que voilà le visage de mon frère le capitaine et de sa femme ! » Mademoiselle, après les avoir considérés avec la même émotion, en jugea de même. Tous deux étaient saisis d'étonnement et d'une joie mêlée de douleur ; tous deux s'attendrissaient ; tous deux pleuraient ; leur cœur palpitait ; ils poussaient des cris ; ils s'arrachaient les portraits ; chacun d'eux les prenait et les rendait vingt fois en une seconde ; ils dévoraient des yeux les portraits et le Huron ; ils lui demandaient l'un après l'autre, et tous deux à la fois,

---

1. **À balle seule :** du premier coup (avec la première balle d'un fusil à deux coups).
2. **Brimborion :** chose sans importance.

en quel lieu, en quel temps, comment ces miniatures
étaient tombées entre les mains de sa nourrice ; ils rappro-
chaient, ils comptaient les temps depuis le départ du capitaine ; ils se souvenaient d'avoir eu nouvelle qu'il avait été
45 jusqu'au pays des Hurons, et que depuis ce temps ils n'en
avaient jamais entendu parler.

L'Ingénu leur avait dit qu'il n'avait connu ni père ni
mère. Le prieur, qui était homme de sens, remarqua que
l'Ingénu avait un peu de barbe ; il savait très bien que les
50 Hurons n'en ont point.

« Son menton est cotonné[1], il est donc fils d'un homme
d'Europe. Mon frère et ma belle-sœur ne parurent plus
après l'expédition contre les Hurons en 1669 ; mon neveu
devait être alors à la mamelle ; la nourrice huronne lui a
55 sauvé la vie et lui a servi de mère. » Enfin, après cent questions et cent réponses, le prieur et sa sœur conclurent que
le Huron était leur propre neveu. Ils l'embrassaient en versant des larmes ; et l'Ingénu riait, ne pouvant s'imaginer
qu'un Huron fût neveu d'un prieur bas-breton.

60 Toute la compagnie descendit ; M. de Saint-Yves, qui
était grand physionomiste, compara les deux portraits
avec le visage de l'Ingénu ; il fit très habilement remarquer qu'il avait les yeux de sa mère, le front et le nez de
feu M. le capitaine de Kerkabon, et des joues qui tenaient
65 de l'un et de l'autre.

Mlle de Saint-Yves, qui n'avait jamais vu le père ni la
mère, assura que l'Ingénu leur ressemblait parfaitement.
Ils admiraient tous la Providence et l'enchaînement des
événements de ce monde. Enfin on était si persuadé, si
70 convaincu de la naissance de l'Ingénu, qu'il consentit lui-
même à être neveu de M. le prieur, en disant qu'il aimait
autant l'avoir pour son oncle qu'un autre.

---

1. **Cotonné :** couvert d'un duvet qui ressemble à du coton.

On alla rendre grâce à Dieu dans l'église de Notre-Dame de la Montagne, tandis que le Huron, d'un air indifférent, s'amusait à boire dans la maison. 75

Les Anglais qui l'avaient amené, et qui étaient prêts à mettre à la voile, vinrent lui dire qu'il était temps de partir. « Apparemment, leur dit-il, que vous n'avez pas retrouvé vos oncles et vos tantes ; je reste ici ; retournez à Plymouth, je vous donne toutes mes hardes[1], je n'ai plus besoin de 80 rien au monde, puisque je suis le neveu d'un prieur. » Les Anglais mirent à la voile, en se souciant fort peu que l'Ingénu eût des parents ou non en Basse-Bretagne.

Après que l'oncle, la tante et la compagnie eurent chanté le *Te Deum*[2] ; après que le bailli eut encore accablé 85 l'Ingénu de questions ; après qu'on eut épuisé tout ce que l'étonnement, la joie, la tendresse peuvent faire dire, le prieur de la Montagne et l'abbé de Saint-Yves conclurent à faire baptiser l'Ingénu au plus vite. Mais il n'en était pas d'un grand Huron de vingt-deux ans comme d'un enfant 90 qu'on régénère[3] sans qu'il en sache rien. Il fallait l'instruire, et cela paraissait difficile : car l'abbé de Saint-Yves supposait qu'un homme qui n'était pas né en France n'avait pas le sens commun.

Le prieur fit observer à la compagnie que, si en effet, 95 M. l'Ingénu, son neveu, n'avait pas eu le bonheur d'être élevé en Basse-Bretagne, il n'en avait pas moins d'esprit ; qu'on en pouvait juger par toutes ses réponses ; et que sûrement la nature l'avait beaucoup favorisé, tant du côté paternel que du maternel. 100

On lui demanda d'abord s'il avait jamais lu quelque livre. Il dit qu'il avait lu Rabelais traduit en anglais, et quelques morceaux de Shakespeare qu'il savait par cœur ;

---

1. **Hardes :** vêtements personnels, sans valeur péjorative.
2. ***Te Deum :*** chant de louange, action de grâce, de remerciement.
3. **Régénère :** fait renaître dans un état de pureté (ce qu'est censé faire le baptême).

qu'il avait trouvé ces livres chez le capitaine du vaisseau
105 qui l'avait amené de l'Amérique à Plymouth et qu'il en
était fort content. Le bailli ne manqua pas de l'interroger
sur ces livres. « Je vous avoue, dit l'Ingénu, que j'ai cru en
deviner quelque chose, et que je n'ai pas entendu[1] le reste. »

L'abbé de Saint-Yves, à ce discours, fit réflexion que
110 c'était ainsi que lui-même avait toujours lu, et que la plupart des hommes ne lisaient guère autrement. « Vous avez
sans doute lu la Bible ? dit-il au Huron. — Point du tout,
monsieur l'abbé ; elle n'était pas parmi les livres de mon
capitaine ; je n'en ai jamais entendu parler. — Voilà comme
115 sont ces maudits Anglais, criait Mlle de Kerkabon ; ils
feront plus de cas d'une pièce de Shakespeare, d'un
plumbpouding[2] et d'une bouteille de rhum que du
Pentateuque[3]. Aussi n'ont-ils jamais converti personne en
Amérique. Certainement ils sont maudits de Dieu ; et
120 nous leur prendrons la Jamaïque et la Virginie[4] avant qu'il
soit peu de temps. »

Quoi qu'il en soit, on fit venir le plus habile tailleur de
Saint-Malo pour habiller l'Ingénu de pied en cap. La compagnie se sépara ; le bailli alla faire ses questions ailleurs.
125 Mlle de Saint-Yves, en partant, se retourna plusieurs fois
pour regarder l'Ingénu ; et il lui fit des révérences plus
profondes qu'il n'en avait jamais fait à personne en sa vie.

Le bailli, avant de prendre congé, présenta à Mlle de
Saint-Yves un grand nigaud de fils qui sortait du collège ;
130 mais à peine le regarda-t-elle, tant elle était occupée de la
politesse du Huron.

---

1. **Entendre :** comprendre.
2. **Plumbpouding (ou plum-pudding) :** gâteau anglais parfumé à l'eau-
de-vie.
3. **Le Pentateuque :** les cinq premiers livres de l'Ancien Testament :
Genèse, Exode, Lévitique, Nombres, Deutéronome.
4. **La Jamaïque et la Virginie :** allusion possible aux provinces perdues
par la France à l'occasion du traité de Paris en 1763 avec les Anglais.

CHAPITRE III
Le Huron, nommé l'Ingénu, converti

M. LE PRIEUR, voyant qu'il était un peu sur l'âge, et que Dieu lui envoyait un neveu pour sa consolation, se mit en tête qu'il pourrait lui résigner son bénéfice[1] s'il réussissait à le baptiser et à le faire entrer dans les ordres[2].

L'Ingénu avait une mémoire excellente. La fermeté des organes de Basse-Bretagne, fortifiée par le climat du Canada, avait rendu sa tête si vigoureuse que, quand on frappait dessus, à peine le sentait-il ; et, quand on gravait dedans, rien ne s'effaçait ; il n'avait jamais rien oublié. Sa conception était d'autant plus vive et plus nette que, son enfance n'ayant point été chargée des inutilités et des sottises qui accablent la nôtre, les choses entraient dans sa cervelle sans nuage. Le prieur résolut enfin de lui faire lire le Nouveau Testament[3]. L'Ingénu le dévora avec beaucoup de plaisir ; mais, ne sachant ni dans quel temps ni dans quel pays toutes les aventures rapportées dans ce livre étaient arrivées, il ne douta point que le lieu de la scène ne fût en Basse-Bretagne, et il jura qu'il couperait le nez et

---

1. **Résigner un bénéfice :** léguer son bénéfice en héritage.
2. **Entrer dans les ordres :** se préparer à suivre une formation pour devenir prêtre.
3. **Le Nouveau Testament :** la deuxième partie de la Bible racontant en particulier la naissance et la vie de Jésus.

les oreilles à Caïphe et à Pilate[1] si jamais il rencontrait ces
20 marauds-là[2].

Son oncle, charmé de ces bonnes dispositions, le mit au
fait en peu de temps ; il loua son zèle, mais il lui apprit
que ce zèle était inutile, attendu que ces gens-là étaient
morts il y avait environ seize cent quatre-vingt-dix
25 années. L'Ingénu sut bientôt presque tout le livre par
cœur. Il proposait quelquefois des difficultés qui mettaient
le prieur fort en peine. Il était obligé souvent de consulter
l'abbé de Saint-Yves qui, ne sachant que répondre, fit venir
un jésuite bas-breton pour achever la conversion du
30 Huron.

Enfin la grâce opéra ; l'Ingénu promit de se faire chrétien ; il ne douta pas qu'il ne dût commencer par être circoncis[3] : « Car, disait-il, je ne vois pas dans le livre qu'on
m'a fait lire un seul personnage qui ne l'ait été ; il est donc
35 évident que je dois faire le sacrifice de mon prépuce : le
plus tôt c'est le mieux. » Il ne délibéra point. Il envoya
chercher le chirurgien du village et le pria de lui faire
l'opération, comptant réjouir infiniment Mlle de Kerkabon
et toute la compagnie quand une fois la chose serait faite.
40 Le frater[4], qui n'avait point encore fait cette opération, en
avertit la famille, qui jeta les hauts cris. La bonne Kerkabon
trembla que son neveu, qui paraissait résolu et expéditif,
ne se fît lui-même l'opération très maladroitement, et qu'il
n'en résultât de tristes effets auxquels les dames s'inté-
45 ressent toujours par bonté d'âme.

---

1. **Caïphe et Pilate :** le premier est le grand prêtre juif, le second le gouverneur romain, et tous deux agirent en faveur de la crucifixion de Jésus.
2. **Maraud :** personnage méprisable, coquin.
3. **Circoncis :** la circoncision est l'opération rituelle que subissent les
   enfants juifs et musulmans et qui consiste en l'ablation du prépuce (la
   peau qui recouvre l'extrémité du sexe masculin).
4. **Frater :** nom donné au barbier-chirurgien qui officiait à la campagne
   ou à l'armée.

Le prieur redressa les idées du Huron ; il lui remontra que la circoncision n'était plus de mode, que le baptême était beaucoup plus doux et plus salutaire, que la loi de grâce n'était pas comme la loi de rigueur[1]. L'Ingénu, qui avait beaucoup de bon sens et de droiture, disputa[2], mais reconnut son erreur, ce qui est assez rare en Europe aux gens qui disputent ; enfin il promit de se faire baptiser quand on voudrait.

Il fallait, auparavant, se confesser, et c'était là le plus difficile. L'Ingénu avait toujours en poche le livre que son oncle lui avait donné. Il n'y trouvait pas qu'un seul apôtre se fût confessé, et cela le rendait très rétif. Le prieur lui ferma la bouche en lui montrant, dans l'épître de saint Jacques le Mineur[3], ces mots qui font tant de peine aux hérétiques[4] : *Confessez vos péchés les uns aux autres.* Le Huron se tut, et se confessa à un récollet[5]. Quand il eut fini, il tira le récollet du confessionnal, et, saisissant son homme d'un bras vigoureux, il se mit à sa place et le fit mettre à genoux devant lui. « Allons, mon ami, il est dit : *Confessez-vous les uns aux autres* ; je t'ai conté mes péchés, tu ne sortiras pas d'ici que tu ne m'aies conté les tiens. » En parlant ainsi, il appuyait son large genou contre la poitrine de son adverse partie. Le récollet pousse des hurlements qui font retentir l'église. On accourt au bruit, on voit le catéchumène[6] qui gourmait[7] le moine au nom de

---

1. **Loi de grâce… loi de rigueur :** la première désigne l'enseignement du Nouveau Testament, la seconde renvoie à la loi de Moïse dans l'Ancien Testament.
2. **Disputer :** discuter.
3. **Saint Jacques le Mineur :** le Christ était accompagné de douze apôtres, saint Jacques était l'un d'eux.
4. **Hérétiques :** personnes hostiles aux dogmes de l'Église catholique.
5. **Récollet :** moine franciscain.
6. **Catéchumène :** celui qui reçoit la « catéchèse », formation religieuse en vue du baptême.
7. **Gourmer :** battre à coup de poings.

saint Jacques le Mineur. La joie de baptiser un Bas-Breton huron et anglais était si grande qu'on passa par-dessus ces singularités. Il y eut même beaucoup de théologiens qui pensèrent que la confession n'était pas nécessaire, puisque
75 le baptême tenait lieu de tout.

On prit jour avec l'évêque de Saint-Malo, qui, flatté, comme on peut le croire, de baptiser un Huron, arriva dans un pompeux équipage, suivi de son clergé. Mlle de Saint-Yves, en bénissant Dieu, mit sa plus belle robe et fit
80 venir une coiffeuse de Saint-Malo, pour briller à la cérémonie. L'interrogant bailli accourut avec toute la contrée. L'église était magnifiquement parée ; mais, quand il fallut prendre le Huron pour le mener aux fonts baptismaux, on ne le trouva point.

85 L'oncle et la tante le cherchèrent partout. On crut qu'il était à la chasse, selon sa coutume. Tous les conviés à la fête parcoururent les bois et les villages voisins : point de nouvelles du Huron.

On commençait à craindre qu'il ne fût retourné en
90 Angleterre. On se souvenait de lui avoir entendu dire qu'il aimait fort ce pays-là. M. le prieur et sa sœur étaient persuadés qu'on n'y baptisait personne, et tremblaient pour l'âme de leur neveu. L'évêque était confondu[1] et prêt à s'en retourner ; le prieur et l'abbé de Saint-Yves se désespé-
95 raient ; le bailli interrogeait tous les passants avec sa gravité ordinaire. Mlle de Kerkabon pleurait ; Mlle de Saint-Yves ne pleurait pas, mais elle poussait de profonds soupirs, qui semblaient témoigner son goût pour les sacrements. Elles se promenaient tristement le long des saules
100 et des roseaux qui bordent la petite rivière de Rance, lorsqu'elles aperçurent au milieu de la rivière une grande figure assez blanche, les deux mains croisées sur la poitrine. Elles jetèrent un grand cri et se détournèrent. Mais,

---

1. **Confondu :** plongé dans la confusion.

la curiosité l'emportant bientôt sur toute autre considération, elles se coulèrent doucement entre les roseaux, et quand elles furent bien sûres de n'être point vues, elles voulurent voir de quoi il s'agissait. 105

CHAPITRE IV
L'Ingénu baptisé

Le PRIEUR et l'abbé, étant accourus, demandèrent à l'Ingénu ce qu'il faisait là. « Eh parbleu ! messieurs, j'attends le baptême. Il y a une heure que je suis dans l'eau jusqu'au cou, et il n'est pas honnête de me laisser morfondre.

— Mon cher neveu, lui dit tendrement le prieur, ce n'est pas 5 ainsi qu'on baptise en Basse-Bretagne ; reprenez vos habits et venez avec nous. » Mlle de Saint-Yves, en entendant ce discours, disait tout bas à sa compagne : « Mademoiselle, croyez-vous qu'il reprenne sitôt ses habits ? »

Le Huron cependant repartit au prieur : « Vous ne m'en 10 ferez pas accroire[1] cette fois-ci comme l'autre ; j'ai bien

---

1. **En faire accroire :** tromper, abuser.

étudié depuis ce temps-là, et je suis très certain qu'on ne
se baptise pas autrement. L'eunuque de la reine Candace[1]
fut baptisé dans un ruisseau ; je vous défie de me montrer
dans le livre que vous m'avez donné qu'on s'y soit jamais
pris d'une autre façon. Je ne serai point baptisé du tout, ou
je le serai dans la rivière. » On eut beau lui démontrer que
les usages avaient changé, l'Ingénu était têtu, car il était
breton et huron. Il revenait toujours à l'eunuque de la
reine Candace. Et, quoique Mlle sa tante et Mlle de Saint-
Yves, qui l'avaient observé entre les saules, fussent en
droit de lui dire qu'il ne lui appartenait pas de citer un
pareil homme, elles n'en firent pourtant rien ; tant était
grande leur discrétion. L'évêque vint lui-même lui parler,
ce qui est beaucoup ; mais il ne gagna rien : le Huron disputa contre l'évêque.

« Montrez-moi, lui dit-il, dans le livre que m'a donné
mon oncle, un seul homme qui n'ait pas été baptisé dans
la rivière, et je ferai tout ce que vous voudrez. »

La tante, désespérée, avait remarqué que, la première
fois que son neveu avait fait la révérence, il en avait fait
une plus profonde à Mlle de Saint-Yves qu'à aucune autre
personne de la compagnie ; qu'il n'avait pas même salué
M. l'évêque avec ce respect mêlé de cordialité qu'il avait
témoigné à cette belle demoiselle. Elle prit le parti de
s'adresser à elle dans ce grand embarras ; elle la pria d'inter-
poser son crédit[2] pour engager le Huron à se faire baptiser
de la même manière que les Bretons, ne croyant pas que
son neveu pût jamais être chrétien s'il persistait à vouloir
être baptisé dans l'eau courante.

Mlle de Saint-Yves rougit du plaisir secret qu'elle sentait
d'être chargée d'une si importante commission. Elle s'appro-
cha modestement de l'Ingénu, et, lui serrant la main d'une

---

1. **Candace :** l'eunuque de cette reine d'Égypte fut baptisé par l'apôtre
Philippe dans l'eau d'une rivière de Palestine.
2. **Crédit :** influence.

manière tout à fait noble : « Est-ce que vous ne ferez rien pour moi ? » lui dit-elle ; et, en prononçant ces mots, elle baissait les yeux et les relevait avec une grâce attendrissante. « Ah ! tout ce que vous voudrez, mademoiselle, tout ce que vous me commanderez : baptême d'eau, baptême de feu, baptême de sang[1], il n'y a rien que je vous refuse. » Mlle de Saint-Yves eut la gloire de faire en deux paroles ce que ni les empressements du prieur, ni les interrogations réitérées du bailli, ni les raisonnements même de M. l'évêque n'avaient pu faire. Elle sentit son triomphe ; mais elle n'en sentait pas encore toute l'étendue.

Le baptême fut administré et reçu avec toute la décence, toute la magnificence, tout l'agrément possibles. L'oncle et la tante cédèrent à M. l'abbé de Saint-Yves et à sa sœur l'honneur de tenir l'Ingénu sur les fonts. Mlle de Saint-Yves rayonnait de joie de se voir marraine. Elle ne savait pas à quoi ce grand titre l'asservissait ; elle accepta cet honneur sans en connaître les fatales conséquences[2].

Comme il n'y eut jamais de cérémonie qui ne fût suivie d'un grand dîner, on se mit à table au sortir du baptême. Les goguenards[3] de Basse-Bretagne dirent qu'il ne fallait pas baptiser son vin[4]. M. le prieur disait que le vin, selon Salomon[5], réjouit le cœur de l'homme. M. l'évêque ajoutait que le patriarche Juda[6] devait lier son ânon à la vigne,

---

1. **Baptême de sang :** celui des martyres.
2. **Conséquences :** anticipation sur la suite du récit, car l'Église n'autorisait pas le mariage entre un filleul et sa marraine.
3. **Goguenards :** ceux qui aiment plaisanter.
4. **Baptiser son vin :** le couper d'eau.
5. **Salomon :** roi d'Israël et auteur de l'*Ecclésiaste* dans l'Ancien Testament, où il est dit : « Le vin et la musique réjouissent le cœur. » (ch. 40, v. 20).
6. **Juda :** paraphrase d'une phrase adressée par Jacob à Juda annonçant le Messie : « Il liera son ânon à la vigne, il liera, ô mon fils, son ânesse à la vigne. Il lavera sa robe dans le vin et son manteau dans le sang des raisins. » (Genèse, ch. 49, v. 11).

et tremper son manteau dans le sang du raisin, et qu'il était bien triste qu'on n'en pût faire autant en Basse-
70 Bretagne, à laquelle Dieu a dénié les vignes. Chacun tâchait de dire un bon mot sur le baptême de l'Ingénu, et des galanteries à la marraine. Le bailli, toujours interrogant, demandait au Huron s'il serait fidèle à ses promesses. « Comment voulez-vous que je manque à mes promesses,
75 répondit le Huron, puisque je les ai faites entre les mains de Mlle de Saint-Yves ? »

Le Huron s'échauffa ; il but beaucoup à la santé de sa marraine. « Si j'avais été baptisé de votre main, dit-il, je sens que l'eau froide qu'on m'a versée sur le chignon
80 m'aurait brûlé. » Le bailli trouva cela trop poétique, ne sachant pas combien l'allégorie[1] est familière au Canada. Mais la marraine en fut extrêmement contente.

On avait donné le nom d'Hercule au baptisé. L'évêque de Saint-Malo demandait toujours quel était ce patron
85 dont il n'avait jamais entendu parler. Le jésuite, qui était fort savant, lui dit que c'était un saint qui avait fait douze miracles. Il y en avait un treizième qui valait les douze autres, mais dont il ne convenait pas à un jésuite de parler ; c'était celui d'avoir changé cinquante filles en femmes en
90 une seule nuit[2]. Un plaisant qui se trouva là releva ce miracle avec énergie. Toutes les dames baissèrent les yeux, et jugèrent à la physionomie de l'Ingénu qu'il était digne du saint dont il portait le nom.

---

1. **Allégorie :** discours symbolique chargé de transmettre une leçon morale ou philosophique.
2. **Nuit :** parmi les douze travaux attribués à Hercule, il y aurait celui d'avoir honoré les cinquante filles de Thestius en sept jours ou... en une nuit.

Clefs d'analyse

Chapitres I à IV.

Compréhension

La présentation du héros

- Relever les diverses identités du héros et observer ce qu'elles apprennent de sa psychologie, de son caractère.

La parodie de roman

- Observer dans les titres de chapitres les éléments relevant du romanesque. Relever les procédés conventionnels empruntés à l'esthétique du roman ; en définir l'usage.

Roman et conte

- Distinguer ce qui paraît appartenir à l'un ou à l'autre des deux genres.

Réflexion

Humour et comique

- Interpréter la signification des divers effets comiques : à partir des mots, des situations, des personnages stéréotypés, etc.

Sur le bon sauvage

- Opposer les attributs de l'homme naturel à ceux du civilisé.
- Expliquer en quel sens l'Ingénu progresse au cours de ces quatre chapitres. En quoi il garde quelque chose de ses origines.

La satire religieuse

- Expliquer sur quoi porte la remise en cause de la religion.

À retenir :

Après un préambule teinté de surnaturel destiné à orienter le texte vers la fable, Voltaire entame son récit en exploitant parodiquement les ressources respectives du conte et du roman. La dimension romanesque se combine à la volonté polémique illustrée par les attaques contre la religion, contre la société française (opposée à l'anglaise), contre les mœurs de province, contre l'ethnocentrisme, le tout présenté avec légèreté et humour.

Synthèse

Le choc des cultures

Personnages

Un sauvage très fréquentable

Il est indispensable, pour la bonne intelligence du récit, que le lecteur puisse faire connaissance au plus vite, et de manière complète, avec les personnages qui vont agir et en particulier avec celui qui donne son nom au roman, l'Ingénu. La première caractérisation du héros est physique : il est « très bien fait », « d'allure élégante », « l'air martial et doux », selon un oxymore qui annonce la double face de son caractère : impulsif et sensible. Car la nature profonde du Huron est son métissage culturel. Il se présente en tant que sauvage, et divers traits attestent ses origines primitives : les sandales, les longs cheveux en tresses, la couverture qui sert de lit, ses qualités de fin chasseur.

Mais parallèlement il possède des qualités d'être civilisé, à commencer par son apparence physique, puisqu'il a l'air d'un « jeune premier », avec « un teint de lis et de rose » et que, à la différence de sa tribu d'origine, il a un peu de barbe. Il maîtrise l'usage des langues, sait faire preuve d'éloquence, de galanterie. La passion amoureuse viendra encore brouiller cette double appartenance que complique aussi son entrée dans le monde chrétien avec un triple nom : l'Ingénu, Kerkabon, Hercule.

Langage

La fantaisie narrative

Les dix lignes d'ouverture, sorte de prologue mystérieux, inclinent le texte du côté de la légende. L'apparition des personnages au bord de l'océan et leur peinture plaisante nous placent plutôt dans l'univers du conte ; les événements qui suivent exploitent enfin les recettes du roman (récit rétrospectif, rivalité des femmes, scène de reconnaissance, coup de foudre, conversion forcée...). Toutes les modalités narratives sont donc mobilisées par Voltaire, pourvu qu'elles ne freinent pas son imagination et ne ralentissent pas le rythme du récit. Le mélange des tons (descriptif, satirique, comique, dramatique, sensible, grivois...) contribue à cette fête de l'esprit et à ce bonheur de l'écriture. Les conventions romanesques telles que l'exotisme, le motif de la reconnaissance, le coup de foudre amoureux semblent parodiquement récupérées.

Société

Une religion formaliste

Plus qu'un livre sur le thème du sauvage, *L'Ingénu* doit se lire comme un pamphlet antireligieux. Et ces premiers chapitres, drôles, enlevés, variés le prouvent. À travers le discrédit jeté sur les miracles d'abord ; à travers la critique du clergé ensuite, corporation partagée entre un sacerdoce accommodant (celui qu'exerce Kerkabon) et un prosélytisme sournois (incarné par l'abbé de Saint-Yves) ; à travers la dénonciation de la lecture tendancieuse de la Bible aussi, dont les préceptes sont oubliés au profit d'usages discutables érigés en principes intangibles. Aucune attaque de Dieu et de la foi ici, simplement le procès d'une religion dévoyée qui, par ses abus, prépare au fanatisme et à la superstition. La satire sociale touchant au mode de vie de la compagnie basse-bretonne, plus légère et plus amusante, n'est qu'une façon de dissimuler le sujet essentiel de ce début du roman : le procès de la religion.

CHAPITRE V
L'Ingénu amoureux

IL FAUT AVOUER que depuis ce baptême et ce dîner, Mlle de Saint-Yves souhaita passionnément que M. l'évêque la fît encore participante de quelque beau sacrement avec M. Hercule l'Ingénu. Cependant, comme elle était bien élevée et fort modeste, elle n'osait convenir tout à fait avec elle-même de ses tendres sentiments ; mais s'il lui échappait un regard, un mot, un geste, une pensée, elle enveloppait tout cela d'un voile de pudeur infiniment aimable : elle était tendre, vive et sage.

Dès que M. l'évêque fut parti, l'Ingénu et Mlle de Saint-Yves se rencontrèrent sans avoir fait réflexion qu'ils se cherchaient. Ils se parlèrent sans avoir imaginé ce qu'ils se diraient. L'Ingénu lui dit d'abord qu'il l'aimait de tout son cœur, et que la belle Abacaba, dont il avait été fou dans son pays, n'approchait pas d'elle. Mademoiselle lui répondit, avec sa modestie ordinaire, qu'il fallait en parler au plus vite à M. le prieur son oncle, et à Mlle sa tante, et que de son côté elle en dirait deux mots à son cher frère l'abbé de Saint-Yves, et qu'elle se flattait d'un consentement commun.

L'Ingénu lui répondit qu'il n'avait besoin du consentement de personne ; qu'il lui paraissait extrêmement ridicule d'aller demander à d'autres ce qu'on devait faire ; que, quand deux parties sont d'accord, on n'a pas besoin d'un tiers pour les raccommoder. « Je ne consulte personne, dit-il, quand j'ai envie de déjeuner, ou de chasser, ou de dormir. Je sais bien qu'en amour il n'est pas mal d'avoir le consentement de la personne à qui on en veut ; mais, comme ce n'est ni de mon oncle ni de ma tante que je suis amoureux, ce n'est pas à eux que je dois m'adresser dans cette affaire ; et, si vous m'en croyez, vous vous passerez aussi de M. l'abbé de Saint-Yves. »

On peut juger que la belle Bretonne employa toute la délicatesse de son esprit à réduire son Huron aux termes de la bienséance. Elle se fâcha même, et bientôt se radoucit. Enfin on ne sait comment aurait fini cette conversation, si, le jour baissant, M. l'abbé n'avait ramené sa sœur à son abbaye. L'Ingénu laissa coucher son oncle et sa tante, qui étaient un peu fatigués de la cérémonie et de leur long dîner. Il passa une partie de la nuit à faire des vers en langue huronne pour sa bien-aimée ; car il faut savoir qu'il n'y a aucun pays de la terre où l'amour n'ait rendu les amants poètes.

Le lendemain, son oncle lui parla ainsi après le déjeuner, en présence de Mlle de Kerkabon, qui était tout attendrie : « Le ciel soit loué de ce que vous avez l'honneur, mon cher neveu, d'être chrétien et bas-breton ! mais cela ne suffit pas ; je suis un peu sur l'âge ; mon frère n'a laissé qu'un petit coin de terre qui est très peu de chose ; j'ai un bon prieuré : si vous voulez seulement vous faire sous-diacre[1], comme je l'espère, je vous résignerai[2] mon prieuré, et vous vivrez fort à votre aise, après avoir été la consolation de ma vieillesse. »

L'Ingénu répondit : « Mon oncle, grand bien vous fasse ! vivez tant que vous pourrez. Je ne sais pas ce que c'est que d'être sous-diacre ni que de résigner ; mais tout me sera bon, pourvu que j'aie Mlle de Saint-Yves à ma disposition. — Eh, mon Dieu ! mon neveu, que me dites-vous là ? Vous aimez donc cette belle demoiselle à la folie ? — Oui, mon

---

1. **Sous-diacre :** dans la hiérarchie ecclésiastique, on distingue le prêtre et, au-dessous, le diacre, puis le sous-diacre.
2. **Résigner :** abandonner.

oncle. − Hélas ! mon neveu, il est impossible que vous
l'épousiez. − Cela est très possible, mon oncle ; car non
seulement elle m'a serré la main en me quittant, mais elle
m'a promis qu'elle me demanderait en mariage ; et assurément je l'épouserai. − Cela est impossible, vous dis-je : elle
est votre marraine ; c'est un péché épouvantable à une
marraine de serrer la main de son filleul ; il n'est pas permis d'épouser sa marraine[1] ; les lois divines et humaines
s'y opposent. − Morbleu ! mon oncle, vous vous moquez
de moi ; pourquoi serait-il défendu d'épouser sa marraine,
quand elle est jeune et jolie ? Je n'ai point vu dans le livre
que vous m'avez donné qu'il fût mal d'épouser les filles
qui ont aidé les gens à être baptisés. Je m'aperçois tous les
jours qu'on fait ici une infinité de choses qui ne sont point
dans votre livre, et qu'on n'y fait rien de tout ce qu'il dit. Je
vous avoue que cela m'étonne et me fâche. Si on me prive
de la belle Saint-Yves sous prétexte de mon baptême, je
vous avertis que je l'enlève et que je me débaptise. »

Le prieur fut confondu[2] ; sa sœur pleura. « Mon cher
frère, dit-elle, il ne faut pas que notre neveu se damne ;
notre saint-père le pape peut lui donner dispense, et alors
il pourra être chrétiennement heureux avec ce[3] qu'il
aime. » L'Ingénu embrassa sa tante. « Quel est donc, dit-il,
cet homme charmant qui favorise avec tant de bonté les
garçons et les filles dans leurs amours ? Je veux lui aller
parler tout à l'heure. »

On lui expliqua ce que c'était que le pape, et l'Ingénu
fut encore plus étonné qu'auparavant. « Il n'y a pas un
mot de tout cela dans votre livre, mon cher oncle ; j'ai
voyagé, je connais la mer ; nous sommes ici sur la côte de

---

1. **Sa marraine :** c'est l'Église catholique qui interdisait ce type de mariage ; mais le mariage civil n'existait pas.
2. **Confondu :** embarrassé.
3. **Ce :** celle (dans la tradition galante, le neutre « ce » sert à désigner la personne aimée).

l'Océan, et je quitterais Mlle de Saint-Yves pour aller demander la permission de l'aimer à un homme qui demeure vers la Méditerranée, à quatre cents lieues[1] d'ici, et dont je n'entends[2] point la langue ! Cela est d'un ridicule incompréhensible ! Je vais sur-le-champ chez M. l'abbé de Saint-Yves, qui ne demeure qu'à une lieue de vous, et je vous réponds que j'épouserai ma maîtresse[3] dans la journée. »

Comme il parlait encore, entra le bailli, qui, selon sa coutume, lui demanda où il allait. « Je vais me marier », dit l'Ingénu en courant ; et, au bout d'un quart d'heure il était déjà chez sa belle et chère Basse-Brette, qui dormait encore. « Ah ! mon frère, disait Mlle de Kerkabon au prieur, jamais vous ne ferez un sous-diacre de notre neveu. »

Le bailli fut très mécontent de ce voyage : car il prétendait que son fils épousât la Saint-Yves ; et ce fils était encore plus sot et plus insupportable que son père.

---

1. **Lieue :** environ quatre kilomètres.
2. **Entendre :** comprendre.
3. **Maîtresse :** femme que l'on aime et dont on est aimé.

CHAPITRE VI
L'Ingénu court chez sa maîtresse, et devient furieux

À PEINE l'Ingénu était arrivé, qu'ayant demandé à une vieille servante où était la chambre de sa maîtresse, il avait poussé fortement la porte mal fermée et s'était élancé vers le lit. Mlle de Saint-Yves, se réveillant en sursaut, s'était
5 écriée : « Quoi ! c'est vous ! ah ! c'est vous ! arrêtez-vous, que faites-vous ? » Il avait répondu : « Je vous épouse » ; et, en effet, il l'épousait, si elle ne s'était pas débattue avec toute l'honnêteté d'une personne qui a de l'éducation.

L'Ingénu n'entendait pas raillerie[1] ; il trouvait toutes ces
10 façons-là extrêmement impertinentes. « Ce n'était pas ainsi qu'en usait Mlle Abacaba, ma première maîtresse ; vous n'avez point de probité[2], vous m'avez promis mariage, et vous ne voulez point faire mariage : c'est manquer aux premières lois de l'honneur ; je vous apprendrai
15 à tenir votre parole, et je vous remettrai dans le chemin de la vertu[3]. »

---

1. **Ne pas entendre raillerie :** ne pas plaisanter.
2. **Probité :** sens de la parole donnée.
3. **Vertu :** le sens étymologique (du latin *vir*, homme) renvoie aux qualités physiques masculines, plus qu'à la valeur morale. Voltaire joue malicieusement sur le sens du mot et sa possible acception grivoise.

L'Ingénu possédait une vertu mâle et intrépide, digne de son patron Hercule, dont on lui avait donné le nom à son baptême ; il allait l'exercer dans toute son étendue, lorsqu'aux cris perçants de la demoiselle plus discrète- 20 ment vertueuse accourut le sage abbé de Saint-Yves, avec sa gouvernante, un vieux domestique dévot et un prêtre de la paroisse. Cette vue modéra le courage de l'assaillant. « Eh, mon Dieu ! mon cher voisin, lui dit l'abbé, que faites-vous là ? – Mon devoir, répliqua le jeune homme ; je rem- 25 plis mes promesses, qui sont sacrées. »

Mlle de Saint-Yves se rajusta en rougissant. On emmena l'Ingénu dans un autre appartement. L'abbé lui remontra l'énormité du procédé. L'Ingénu se défendit sur les privi-lèges de la loi naturelle[1], qu'il connaissait parfaitement. 30 L'abbé voulut prouver que la loi positive devait avoir tout l'avantage, et que, sans les conventions faites entre les hommes, la loi de nature ne serait presque jamais qu'un brigandage naturel. « Il faut, lui disait-il, des notaires, des prêtres, des témoins, des contrats, des dispenses. » L'Ingénu 35 lui répondit par la réflexion que les sauvages ont toujours faite : « Vous êtes donc de bien malhonnêtes gens, puisqu'il faut entre vous tant de précautions. »

L'abbé eut de la peine à résoudre cette difficulté. « Il y a, dit-il, je l'avoue, beaucoup d'inconstants et de fripons 40 parmi nous, et il y en aurait autant chez les Hurons s'ils étaient rassemblés dans une grande ville ; mais aussi il y a des âmes sages, honnêtes, éclairées, et ce sont ces hommes-là qui ont fait les lois. Plus on est homme de bien, plus on doit s'y soumettre ; on donne l'exemple aux vicieux, qui 45 respectent un frein que la vertu s'est donné elle-même. »

Cette réponse frappa l'Ingénu. On a déjà remarqué qu'il avait l'esprit juste. On l'adoucit par des paroles flatteuses ;

---

1. **Loi naturelle :** elle recouvre les principes de justice que l'homme est amené à respecter instinctivement (par opposition à la « loi positive », inventée par les hommes).

on lui donna des espérances : ce sont les deux pièges où
50 les hommes des deux hémisphères se prennent ; on lui
présenta même Mlle de Saint-Yves, quand elle eut fait sa
toilette. Tout se passa avec la plus grande bienséance.
Mais, malgré cette décence, les yeux étincelants de
l'Ingénu Hercule firent toujours baisser ceux de sa maî-
55 tresse, et trembler la compagnie.

On eut une peine extrême à le renvoyer chez ses
parents. Il fallut encore employer le crédit de la belle
Saint-Yves ; plus elle sentait son pouvoir sur lui, et plus
elle l'aimait. Elle le fit partir, et en fut très affligée ; enfin,
60 quand il fut parti, l'abbé, qui non seulement était le frère
très aîné de Mlle de Saint-Yves, mais qui était aussi son
tuteur, prit le parti de soustraire sa pupille aux empressements de cet amant redoutable. Il alla consulter le bailli,
qui, destinant toujours son fils à la sœur de l'abbé, lui
65 conseilla de mettre la pauvre fille dans une communauté[1].
Ce fut un coup terrible : une indifférente qu'on mettrait
au couvent jetterait les hauts cris ; mais une amante, et
une amante aussi sage que tendre, c'était de quoi la mettre
au désespoir.

70 L'Ingénu, de retour chez le prieur, raconta tout avec sa
naïveté ordinaire. Il essuya les mêmes remontrances, qui
firent quelque effet sur son esprit, et aucun sur ses sens ;
mais le lendemain, quand il voulut retourner chez sa belle
maîtresse pour raisonner avec elle sur la loi naturelle et
75 sur la loi de convention, M. le bailli lui apprit avec une
joie insultante qu'elle était dans un couvent. « Eh bien !
dit-il, j'irai raisonner dans ce couvent.

— Cela ne se peut », dit le bailli. Il lui expliqua fort au
long[2] ce que c'était qu'un couvent ou un convent ; que ce
80 mot venait du latin *conventus,* qui signifie assemblée ; et le

---

1. **Communauté :** un couvent de religieuses.
2. **Au long :** longuement.

Huron ne pouvait comprendre pourquoi il ne pouvait pas être admis dans l'assemblée. Sitôt qu'il fut instruit que cette assemblée était une espèce de prison où l'on tenait les filles renfermées, chose horrible, inconnue chez les Hurons et chez les Anglais[1], il devint aussi furieux que le devint son patron Hercule lorsque Euryte, roi d'Œchalie, non moins cruel que l'abbé de Saint-Yves, lui refusa la belle Iole sa fille[2], non moins belle que la sœur de l'abbé. Il voulait aller mettre le feu au couvent, enlever sa maîtresse, ou se brûler avec elle. Mlle de Kerkabon, épouvantée, renonçait plus que jamais à toutes les espérances de voir son neveu sous-diacre, et disait en pleurant qu'il avait le diable au corps depuis qu'il était baptisé.

85

90

57

Clefs d'analyse

Chapitres V et VI.

Compréhension

Une jeune fille vertueuse

- Relever ce que nous apprennent de nouveau sur le caractère de Mlle de Saint-Yves ces deux chapitres.
- Voir, à travers ce personnage et d'autres allusions, les conditions de l'éducation des filles.

Le roman sensible

- Définir les aspects de l'intrigue qui tire le livre dans le sens des romans à la mode.
- Relever dans la peinture des personnages des éléments appartenant à la convention romanesque.

Réflexion

Loi naturelle et loi positive

- Analyser, d'après le chapitre VI, la position de Voltaire sur l'opposition traditionnelle entre loi naturelle et loi positive.
- Discuter le divorce entre les règles religieuses et les usages de la vie sociale.

La dimension satirique

- Analyser les formes et les enjeux de la critique sociale à partir de la question du mariage.
- Expliquer ce qui rend l'abbé, représentant de la classe religieuse, antipathique ; ce qui prouve sa mauvaise foi.

À retenir :

Le baptême de l'Ingénu pouvait laisser penser que son assimilation à la vie civilisée était assurée. Or la passion amoureuse va détruire ce bel édifice en faisant apparaître une distorsion insoluble entre les sentiments (l'amour réciproque) et les usages (inspirés par une pratique dogmatique de la religion). L'intrigue est alors nouée autour du couple de jeunes gens tiraillés entre deux attitudes incompatibles. Le récit devrait s'attacher, théoriquement, à lever les barrières qui empêchent l'union des héros.

CHAPITRE VII
L'Ingénu repousse les Anglais

L'INGÉNU, plongé dans une sombre et profonde mélancolie, se promena vers le bord de la mer, son fusil à deux coups sur l'épaule, son grand coutelas au côté, tirant de temps en temps sur quelques oiseaux, et souvent tenté de tirer sur lui-même ; mais il aimait encore la vie, à cause de Mlle de Saint-Yves. Tantôt il maudissait son oncle, sa tante, et toute la Basse-Bretagne, et son baptême ; tantôt il les bénissait puisqu'ils lui avaient fait connaître celle qu'il aimait. Il prenait sa résolution d'aller brûler le couvent, et il s'arrêtait tout court, de peur de brûler sa maîtresse. Les flots de la Manche ne sont pas plus agités par les vents d'est et d'ouest que son cœur l'était par tant de mouvements contraires.

Il marchait à grands pas, sans savoir où, lorsqu'il entendit le son du tambour. Il vit de loin tout un peuple dont une moitié courait au rivage, et l'autre s'enfuyait.

Mille cris s'élèvent de tous côtés ; la curiosité et le courage le précipitent à l'instant vers l'endroit d'où partaient ces clameurs ; il y vole en quatre bonds. Le commandant de la milice[1], qui avait soupé avec lui chez le prieur, le reconnut aussitôt ; il court à lui, les bras ouverts : « Ah ! c'est l'Ingénu ! il combattra pour nous. » Et les milices, qui mouraient de peur, se rassurèrent, et crièrent aussi : « C'est l'Ingénu ! c'est l'Ingénu ! »

---

1. **Milice :** troupe constituée des habitants volontaires pour le combat.

25 « Messieurs, dit-il, de quoi s'agit-il ? Pourquoi êtes-vous si effarés ? A-t-on mis vos maîtresses dans des couvents ? » Alors cent voix confuses s'écrient : « Ne voyez-vous pas les Anglais qui abordent ? — Eh bien ! répliqua le Huron, ce sont de braves gens ; ils ne m'ont point enlevé ma maîtresse. »

30 Le commandant lui fit entendre que les Anglais venaient piller l'abbaye de la Montagne, boire le vin de son oncle, et peut-être enlever Mlle de Saint-Yves ; que le petit vaisseau sur lequel il avait abordé en Bretagne n'était venu que pour reconnaître la côte ; qu'ils faisaient des actes 35 d'hostilité sans avoir déclaré la guerre au roi de France, et que la province était exposée. « Ah ! si cela est, ils violent la loi naturelle ; laissez-moi faire ; j'ai demeuré longtemps parmi eux, je sais leur langue, je leur parlerai ; je ne crois pas qu'ils puissent avoir un si méchant dessein. »

40 Pendant cette conversation, l'escadre anglaise approchait ; voilà le Huron qui court vers elle, se jette dans un petit bateau, arrive, monte au vaisseau amiral, et demande s'il est vrai qu'ils viennent ravager le pays sans avoir déclaré la guerre honnêtement[1]. L'amiral et tout son bord 45 firent de grands éclats de rire, lui firent boire du punch, et le renvoyèrent.

L'Ingénu, piqué, ne songea plus qu'à se bien battre contre ses anciens amis, pour ses compatriotes et pour M. le prieur. Les gentilshommes du voisinage accouraient 50 de toutes parts : il se joint à eux ; on avait quelques canons ; il les charge, il les pointe, il les tire l'un après l'autre. Les Anglais débarquent : il court à eux, il en tue trois de sa main, il blesse même l'amiral qui s'était moqué de lui. Sa valeur anime le courage de toute la milice ; les Anglais se 55 rembarquent, et toute la côte retentissait des cris de victoire « Vive le roi ! vive l'Ingénu ! » Chacun l'embrassait, chacun s'empressait d'étancher le sang de quelques blessures légères

---

1. **Honnêtement :** selon les règles en usage.

qu'il avait reçues. « Ah ! disait-il, si Mlle de Saint-Yves était là, elle me mettrait une compresse. »

Le bailli, qui s'était caché dans sa cave pendant le combat, vint lui faire compliment comme les autres. Mais il fut bien surpris, quand il entendit Hercule l'Ingénu dire à une douzaine de jeunes gens de bonne volonté, dont il était entouré : « Mes amis, ce n'est rien d'avoir délivré l'abbaye de la Montagne ; il faut délivrer une fille. » Toute cette bouillante jeunesse prit feu à ces seules paroles. On le suivait déjà en foule, on courait au couvent. Si le bailli n'avait pas sur-le-champ averti le commandant, si on n'avait pas couru après la troupe joyeuse, c'en était fait. On ramena l'Ingénu chez son oncle et sa tante, qui le baignèrent de larmes de joie et de tendresse.

« Je vois bien que vous ne serez jamais ni sous-diacre, ni prieur, lui dit l'oncle ; vous serez un officier encore plus brave que mon frère le capitaine, et probablement aussi gueux[1]. » Et Mlle de Kerkabon pleurait toujours en l'embrassant, et en disant : « Il se fera tuer comme mon frère ; il vaudrait bien mieux qu'il fût sous-diacre. »

L'Ingénu, dans le combat, avait ramassé une grosse bourse remplie de guinées[2], que probablement l'amiral avait laissé tomber. Il ne douta pas qu'avec cette bourse il ne pût acheter toute la Basse-Bretagne, et surtout faire Mlle de Saint-Yves grande dame. Chacun l'exhorta de faire le voyage de Versailles, pour y recevoir le prix de ses services. Le commandant, les principaux officiers, le comblèrent de certificats. L'oncle et la tante approuvèrent le voyage du neveu. Il devait être, sans difficulté, présenté au roi : cela seul lui donnerait un prodigieux relief[3] dans la province. Ces deux bonnes gens ajoutèrent à la bourse anglaise un

---

1. **Gueux :** pauvre, misérable et peu honnête.
2. **Guinées :** monnaie anglaise, frappée, à l'origine, avec l'or de Guinée.
3. **Relief :** prestige, renom.

présent considérable de leurs épargnes[1]. L'Ingénu disait en
90 lui-même : « Quand je verrai le roi, je lui demanderai Mlle
de Saint-Yves en mariage, et certainement il ne me refu-
sera pas. » Il partit donc aux acclamations de tout le canton, étouffé d'embrassements, baigné des larmes de sa
tante, béni par son oncle, et se recommandant à la belle
95 Saint-Yves.

CHAPITRE VIII
L'Ingénu va en cour.
Il soupe en chemin avec
des huguenots

L'INGÉNU prit le chemin de Saumur[2] par le coche[3], parce
qu'il n'y avait point alors d'autre commodité. Quand il fut
à Saumur, il s'étonna de trouver la ville presque déserte, et
de voir plusieurs familles qui déménageaient. On lui dit
5 que, six ans auparavant, Saumur contenait plus de quinze

---

1. **Épargnes :** économies.
2. **Saumur :** ville du centre de la France qui abritait de nombreux protestants.
3. **Coche :** voiture tirée par des chevaux.

mille âmes, et qu'à présent il n'y en avait pas six mille. Il
ne manqua pas d'en parler à souper dans son hôtellerie.
Plusieurs protestants étaient à table : les uns se plai-
gnaient amèrement, d'autres frémissaient de colère, d'autres
disaient en pleurant : *Nos dulcia linquimus arva, nos*   10
patriam fugimus[1]. L'Ingénu, qui ne savait pas le latin, se fit
expliquer ces paroles, qui signifient : « Nous abandonnons
nos douces campagnes, nous fuyons notre patrie. »

« Et pourquoi fuyez-vous votre patrie, messieurs ?
– C'est qu'on veut que nous reconnaissions le pape. – Et   15
pourquoi ne le reconnaîtriez-vous pas ? Vous n'avez donc
point de marraines que vous vouliez épouser ? car on m'a
dit que c'était lui qui en donnait la permission. – Ah !
monsieur, ce pape dit qu'il est le maître du domaine des
rois ! – Mais, messieurs, de quelle profession êtes-vous ? –   20
Monsieur, nous sommes pour la plupart des drapiers et
des fabricants. – Si votre pape dit qu'il est le maître de vos
draps et de vos fabriques, vous faites très bien de ne le pas
reconnaître ; mais pour les rois, c'est leur affaire : de quoi
vous mêlez-vous ? » Alors un petit homme noir[2] prit la   25
parole, et exposa très savamment les griefs de la compagnie. Il parla de la révocation de l'édit de Nantes[3] avec
tant d'énergie, il déplora d'une manière si pathétique le
sort de cinquante mille familles fugitives et de cinquante
mille autres converties par les dragons[4], que l'Ingénu à   30
son tour versa des larmes. « D'où vient donc, disait-il,

---

1. ***Nos dulcia... fugimus*** : vers tiré de Virgile (*Les Bucoliques*, Ire églogue,
   v. 5).
2. **Petit homme noir** : pasteur protestant. Dans *Candide*, la même expression désigne un prêtre catholique représentant de l'Inquisition (chap. V).
3. **Édit de Nantes** : promulgué par Henri IV en 1598 pour mettre fin aux
   guerres de Religion en accordant la liberté de culte, cet édit avait été
   révoqué en 1685 par Louis XIV.
4. **Dragons** : soldats chargés de réprimer les protestants refusant de se
   convertir. On attribue à Louis XIV l'organisation des « dragonnades ».

qu'un si grand roi, dont la gloire s'étend jusque chez les
Hurons, se prive ainsi de tant de cœurs qui l'auraient
aimé, et de tant de bras qui l'auraient servi ?

35 — C'est qu'on l'a trompé comme les autres grands rois,
répondit l'homme noir. On lui a fait croire que, dès qu'il
aurait dit un mot, tous les hommes penseraient comme
lui, et qu'il nous ferait changer de religion, comme son
musicien Lulli[1] fait changer en un moment les décorations
40 de ses opéras. Non seulement il perd déjà cinq à six cent
mille sujets très utiles, mais il s'en fait des ennemis ; et le
roi Guillaume[2], qui est actuellement maître de l'Angleterre,
a composé plusieurs régiments de ces mêmes Français qui
auraient combattu pour leur monarque.

45 Un tel désastre est d'autant plus étonnant, que le pape
régnant[3], à qui Louis XIV sacrifie une partie de son peuple,
est son ennemi déclaré. Ils ont encore tous deux, depuis
neuf ans, une querelle violente[4]. Elle a été poussée si loin
que la France a espéré enfin de voir briser le joug qui la
50 soumet depuis tant de siècles à cet étranger, et surtout de
ne lui plus donner d'argent, ce qui est le premier mobile
des affaires de ce monde. Il paraît donc évident qu'on a
trompé ce grand roi sur ses intérêts comme sur l'étendue
de son pouvoir, et qu'on a donné atteinte à la magnani-
55 mité de son cœur. »

L'Ingénu, attendri de plus en plus, demanda quels
étaient les Français qui trompaient ainsi un monarque si
cher aux Hurons. « Ce sont les jésuites, lui répondit-on ;

---

1. **Lulli (ou Lully)** : Jean-Baptiste (1632-1687), musicien italien à qui
Louis XIV confia la responsabilité de la musique et de l'opéra. Sa mention à la date du roman est un anachronisme.
2. **Guillaume** : Guillaume d'Orange, roi de Hollande qui accéda à la cou-
ronne d'Angleterre en 1689 sous le nom de Guillaume III.
3. **Pape régnant** : Innocent XI, qui fut pape de 1676 à 1689.
4. **Querelle violente** : allusion au conflit dit de « la Régale », règle selon
laquelle les rois pouvaient toucher les revenus des évêchés vacants et
à laquelle s'opposait le pape.

c'est surtout le père de La Chaise[1], confesseur de Sa Majesté. Il faut espérer que Dieu les en punira un jour, et qu'ils seront chassés comme ils nous chassent[2]. Y a-t-il un malheur égal au nôtre ? Mons de Louvois[3] nous envoie de tous côtés des jésuites et des dragons.

— Oh bien ! messieurs, répliqua l'Ingénu, qui ne pouvait plus se contenir, je vais à Versailles recevoir la récompense due à mes services ; je parlerai à ce mons de Louvois : on m'a dit que c'est lui qui fait la guerre de son cabinet. Je verrai le roi, je lui ferai connaître la vérité ; il est impossible qu'on ne se rende pas à cette vérité quand on la sent. Je reviendrai bientôt pour épouser Mlle de Saint-Yves, et je vous prie à la noce. » Ces bonnes gens le prirent alors pour un grand seigneur qui voyageait *incognito* par le coche. Quelques-uns le prirent pour le fou du roi.

Il y avait à table un jésuite déguisé qui servait d'espion au révérend P. de La Chaise. Il lui rendait compte de tout, et le P. de La Chaise en instruisait mons de Louvois. L'espion écrivit. L'Ingénu et la lettre arrivèrent presque en même temps à Versailles.

1. **Père de La Chaise :** jésuite et confesseur du roi de 1674 à 1709.
2. **Chassent :** peu avant la publication de *L'Ingénu* (1767), les jésuites avaient été expulsés et à cette date les persécutions contre les protestants se poursuivaient.
3. **Mons de Louvois :** « Mons » est une désignation familière et méprisante pour « Monsieur » ou « Monseigneur » ; Louvois était ministre de la guerre de Louis XIV.

CHAPITRE IX
Arrivée de l'Ingénu à Versailles. Sa réception à la cour

L'INGÉNU débarque en pot de chambre[1] dans la cour des cuisines. Il demande aux porteurs de chaise à quelle heure on peut voir le roi. Les porteurs lui rient au nez, tout comme avait fait l'amiral anglais. Il les traita de même, il les battit ; ils voulurent le lui rendre, et la scène allait être sanglante s'il n'eût passé un garde du corps, gentilhomme breton, qui écarta la canaille[2]. « Monsieur, lui dit le voyageur, vous me paraissez un brave homme ; je suis le neveu de M. le prieur de Notre-Dame de la Montagne ; j'ai tué des Anglais, je viens parler au roi : je vous prie de me mener dans sa chambre. » Le garde, ravi de trouver un brave de sa province, qui ne paraissait pas au fait des usages de la cour, lui apprit qu'on ne parlait pas ainsi au roi, et qu'il fallait être présenté par Mgr de Louvois. « Eh bien ! menez-moi donc chez ce Mgr de Louvois, qui sans doute me conduira chez Sa Majesté.

— Il est encore plus difficile, répliqua le garde, de parler à Mgr de Louvois qu'à Sa Majesté ; mais je vais vous

---

1. **Pot de chambre :** « C'est une voiture de Paris à Versailles, laquelle ressemble à un petit tombereau couvert » (Note de Voltaire). Sa forme et ses seules deux roues expliquent son nom imagé.
2. **La canaille :** le petit peuple qui manque de distinction.

conduire chez M. Alexandre, le premier commis[1] de la guerre : c'est comme si vous parliez au ministre. » Il vont donc chez ce M. Alexandre, premier commis, et ils ne purent être introduits ; il était en affaire[2] avec une dame de la cour, et il y avait ordre de ne laisser entrer personne. « Eh bien ! dit le garde, il n'y a rien de perdu ; allons chez le premier commis de M. Alexandre : c'est comme si vous parliez à M. Alexandre lui-même. »

Le Huron, tout étonné, le suit ; ils restent ensemble une demi-heure dans une petite antichambre. « Qu'est-ce donc que tout ceci ? dit l'Ingénu ; est-ce que tout le monde est invisible dans ce pays-ci ? Il est bien plus aisé de se battre en Basse-Bretagne contre les Anglais que de rencontrer à Versailles les gens à qui on a affaire. » Il se désennuya en racontant ses amours à son compatriote. Mais l'heure en sonnant rappela le garde du corps à son poste. Ils se promirent de se revoir le lendemain ; et l'Ingénu resta encore une autre demi-heure dans l'antichambre, en rêvant à Mlle de Saint-Yves, et à la difficulté de parler aux rois et aux premiers commis.

Enfin le patron parut. « Monsieur, lui dit l'Ingénu, si j'avais attendu pour repousser les Anglais aussi longtemps que vous m'avez fait attendre mon audience, ils ravageraient actuellement la Basse-Bretagne tout à leur aise. » Ces paroles frappèrent le commis. Il dit enfin au Breton : « Que demandez-vous ? — Récompense, dit l'autre ; voici les titres. » Il lui étala tous ses certificats. Le commis lut, et lui dit que probablement on lui accorderait la permission d'acheter une lieutenance[3]. « Moi ! que je donne de l'argent

---

1. **Premier commis :** haut fonctionnaire proche du ministre. M. Alexandre a réellement existé et occupé ce poste auprès de Louvois.
2. **En affaire :** l'expression est ambiguë et peut être prise dans un sens galant.
3. **Lieutenance :** titre de lieutenant qu'on pouvait acheter, conformément à l'usage en vigueur sous l'Ancien Régime.

pour avoir repoussé les Anglais ! que je paye le droit de
me faire tuer pour vous, pendant que vous donnez ici vos
50 audiences tranquillement ? Je crois que vous voulez rire.
Je veux une compagnie de cavalerie pour rien. Je veux que
le roi fasse sortir Mlle de Saint-Yves du couvent, et qu'il
me la donne par mariage. Je veux parler au roi en faveur
de cinquante mille familles que je prétends lui rendre. En
55 un mot je veux être utile : qu'on m'emploie et qu'on
m'avance.

— Comment vous nommez-vous, monsieur, qui parlez si
haut ? — Oh ! oh ! reprit l'Ingénu, vous n'avez donc pas lu
mes certificats ? C'est donc ainsi qu'on en use ? Je m'appelle
60 Hercule de Kerkabon ; je suis baptisé, je loge au Cadran
bleu[1], et je me plaindrai de vous au roi. » Le commis
conclut, comme les gens de Saumur, qu'il n'avait pas la
tête bien saine, et n'y fit pas grande attention.

Ce même jour, le révérend père de La Chaise, confes-
65 seur de Louis XIV, avait reçu la lettre de son espion, qui
accusait le Breton Kerkabon de favoriser dans son cœur
les huguenots, et de condamner la conduite des jésuites.
M. de Louvois, de son côté, avait reçu une lettre de l'interrogant bailli, qui dépeignait l'Ingénu comme un garne-
70 ment qui voulait brûler les couvents et enlever les filles.

L'Ingénu, après s'être promené dans les jardins de
Versailles, où il s'ennuya, après avoir soupé en Huron et
en Bas-Breton, s'était couché dans la douce espérance de
voir le roi le lendemain, d'obtenir Mlle de Saint-Yves en
75 mariage, d'avoir au moins une compagnie de cavalerie, et
de faire cesser la persécution contre les huguenots. Il se
berçait de ces flatteuses idées, quand la maréchaussée[2]
entra dans sa chambre. Elle se saisit d'abord de son fusil à
deux coups et de son grand sabre.

---

1. **Le Cadran bleu :** auberge qui existait réellement.
2. **La maréchaussée :** le corps de cavalerie chargé de faire régner l'ordre.

On fit un inventaire de son argent comptant, et on le [80] mena dans le château que fit construire le roi Charles V, fils de Jean II, auprès de la rue Saint-Antoine, à la porte des Tournelles[1].

Quel était en chemin l'étonnement de l'Ingénu, je vous le laisse à penser. Il crut d'abord que c'était un rêve. Il [85] resta dans l'engourdissement ; puis tout à coup, transporté d'une fureur qui redoublait ses forces, il prend à la gorge deux de ses conducteurs qui étaient avec lui dans le carrosse, les jette par la portière, se jette après eux, et entraîne le troisième, qui voulait le retenir. Il tombe de [90] l'effort, on le lie, on le remonte dans la voiture. « Voilà donc, disait-il, ce que l'on gagne à chasser les Anglais de la Basse-Bretagne ! Que dirais-tu, belle Saint-Yves, si tu me voyais dans cet état ? »

On arrive enfin au gîte qui lui était destiné. On le porte [95] en silence dans la chambre où il devait être enfermé, comme un mort qu'on porte dans un cimetière. Cette chambre était déjà occupée par un vieux solitaire de Port-Royal[2], nommé Gordon, qui y languissait depuis deux ans. « Tenez, lui dit le chef des sbires[3], voilà de la compagnie [100] que je vous amène » ; et sur-le-champ on referma les énormes verrous de la porte épaisse, revêtue de larges barres. Les deux captifs restèrent séparés de l'univers entier.

---

1. **Porte des Tournelles :** ce château, défini par une longue périphrase, désigne la Bastille.
2. **Solitaire de Port-Royal :** Port-Royal des Champs était une abbaye réservée aux jansénistes ; des laïcs qu'on nommait « solitaires » s'y retiraient pour étudier.
3. **Sbires :** terme péjoratif pour désigner les membres de la police.

Clefs d'analyse

Chapitres VII à IX.

Compréhension

Exploits guerriers

- Observer en quels termes Voltaire peint la guerre au chapitre VII : raisons du conflit, illustration de l'héroïsme, dénouement.
- Retrouver les traces de la parodie de l'épopée dans le choix des mots, dans le ton, dans les figures de style (les hyperboles), dans le rythme, en particulier aux lignes 30 à 58.

La tentation picaresque

- Définir ce qui peut rapprocher cette section du roman du genre picaresque.

Réflexion

L'art du récit

- Justifier le décousu dans la succession des événements.
- Expliquer l'effacement relatif du comique dans ces trois chapitres.
- Justifier le choix de la forme dialoguée au chapitre VIII.

Regards sur l'actualité

- Retrouver les intentions de Voltaire par rapport à l'actualité du moment dans chacun des trois chapitres.
- Analyser les formes et la portée du plaidoyer pour la tolérance au chapitre VIII.
- Interpréter la leçon politique dans le chapitre IX.

À retenir :

L'intrigue bretonne a pris fin au chapitre VII et l'Ingénu, tel Candide auquel il se met à ressembler, est confronté à divers épisodes destinés à illustrer les dysfonctionnements de la société européenne. Cette partie du roman, qui permet d'introduire des sujets d'actualité qui indignent Voltaire (la guerre, le fanatisme religieux, l'absolutisme royal), constitue une transition devant nous conduire vers un nouveau décor, Paris. Avec l'arrivée dans la capitale et l'emprisonnement du héros, le récit prend une nouvelle orientation.

Synthèse Chapitres V à IX

Du roman au pamphlet

Personnages

Une héroïne en formation

La figure de Mlle de Saint-Yves se fondait, au début du roman, dans la grisaille terne de la compagnie bas-bretonne dont elle semblait indissociable. Son image relevait de la pure convention : « jeune Basse-Brette fort jolie et bien élevée ». L'amour donnant de l'esprit aux jeunes filles (aux jeunes gens aussi, comme le prouve l'Ingénu), la pudique demoiselle (« elle était tendre, vive et sage », est-il dit au chapitre V) prend de l'épaisseur : elle évince un prétendant importun, modèle son amant, rêve de lui céder, échappe à la menace du couvent et finalement se hisse au rang d'une dame de haut lignage que son héros doit conquérir par ses exploits. La suite confirmera ce début d'évolution.

Au-delà de l'intérêt romanesque, ce personnage affirmé de jeune fille, unique dans les contes de Voltaire, nous informe sur la condition féminine au XVIIIe siècle. La question du mariage convenu se retrouve chez Marivaux ; celle de l'enfermement arbitraire dans un couvent chez Diderot. Le désir d'émancipation était déjà présent dans *Manon Lescaut* de Prévost (1731), il prendra des formes militantes avec le personnage de Merteuil dans *Les Liaisons dangereuses* de Laclos (1782). La Saint-Yves prend place dans cette remarquable galerie de jeunes femmes combatives.

Langage

L'art du titre

Chaque chapitre de *L'Ingénu* est affecté d'un titre qui oriente la lecture. Sur vingt titres de chapitre, treize contiennent le nom de l'Ingénu, avant que celui-ci soit relayé par celui de sa maîtresse, qui devient, les titres l'attestent, le personnage princi-

pal. Dans les chapitres V à IX, le Huron est montré en action :
« amoureux » (la plus passive des actions), puis il « court »,
« repousse », « va », avant qu'on signale son « arrivée » et sa
« réception ». Le héros est en train de démontrer sa vigueur originelle en essayant de peser sur le monde et de le faire évoluer.
Cette phase active, qui l'apparente aux héros picaresques et le
rapproche de Candide, est brutalement interrompue au chapitre X, où il est « enfermé ». La suite soulignera le passage de
l'agitation physique à la formation intellectuelle. Tout l'itiné-
raire du personnage – et la philosophie de son créateur – semble
contenu dans les titres.

Société

Au service de la liberté

On peut, sans trop forcer le texte, retrouver dans ces chapitres
apparemment mal liés entre eux un thème commun pour
lequel Voltaire, comme son héros, désire s'engager : le combat
pour la liberté. Ce combat est illustré par le souci de concilier loi
naturelle et loi positive (chap. VI) ; par la résistance à l'envahis-
seur (chap. VII) ; par la dénonciation de l'intolérance religieuse
(chap. VIII) ; par la remise en cause de l'exercice abusif du pouvoir (chap. IX). Le sommet des atteintes à la liberté est constitué par la lettre de cachet et l'enfermement arbitraire, événement important dans le déroulement de l'histoire, puisque huit
des chapitres qui suivent en découlent. Sans doute Voltaire
perd-il un peu de vue dans ces épisodes décousus le fil de son
intrigue, mais ces apparentes digressions sont justifiées par le
projet didactique, consubstantiel au conte philosophique.

CHAPITRE X
L'Ingénu renfermé à la Bastille avec un janséniste[1]

M. GORDON était un vieillard frais et serein, qui savait deux grandes choses : supporter l'adversité et consoler les malheureux. Il s'avança d'un air ouvert et compatissant vers son compagnon, et lui dit en l'embrassant : « Qui que vous soyez qui venez partager mon tombeau, soyez sûr que je m'oublierai toujours moi-même pour adoucir vos tourments dans l'abîme infernal où nous sommes plongés. Adorons la Providence qui nous y a conduits, souffrons en paix, et espérons. » Ces paroles firent sur l'âme de l'Ingénu l'effet des gouttes d'Angleterre[2] qui rappellent un mourant à la vie, et lui font entrouvrir des yeux étonnés.

Après les premiers compliments, Gordon, sans le presser de lui apprendre la cause de son malheur, lui inspira, par la douceur de son entretien, et par cet intérêt que prennent deux malheureux l'un à l'autre, le désir d'ouvrir son cœur et de déposer le fardeau qui l'accablait mais il ne pouvait deviner le sujet de son malheur : cela lui paraissait un effet sans cause, et le bonhomme Gordon était aussi étonné que lui-même.

---

1. **Janséniste :** adepte de Jansénius, auteur de l'*Augustinus,* publié en 1640, qui préconisait une pratique plus sévère de la religion catholique.
2. **Gouttes d'Angleterre :** potion à valeur de remontant inventée par un médecin anglais.

20 « Il faut, dit le janséniste au Huron, que Dieu ait de grands desseins sur vous, puisqu'il vous a conduit du lac Ontario en Angleterre et en France, qu'il vous a fait baptiser en Basse-Bretagne, et qu'il vous a mis ici pour votre salut. — Ma foi, répondit l'Ingénu, je crois que le diable

25 s'est mêlé seul de ma destinée. Mes compatriotes d'Amérique ne m'auraient jamais traité avec la barbarie que j'éprouve ; ils n'en ont pas d'idée. On les appelle *sauvages* ; ce sont des gens de bien grossiers, et les hommes de ce pays-ci sont des coquins raffinés. Je suis, à la vérité, bien surpris

30 d'être venu d'un autre monde pour être enfermé dans celui-ci sous quatre verrous avec un prêtre ; mais je fais réflexion au nombre prodigieux d'hommes qui partent d'un hémisphère pour aller se faire tuer dans l'autre, ou qui font naufrage en chemin, et qui sont mangés des pois-

35 sons : je ne vois pas les gracieux desseins de Dieu sur tous ces gens-là. »

On leur apporta à dîner par un guichet. La conversation roula sur la Providence, sur les lettres de cachet[1], et sur l'art de ne pas succomber aux disgrâces auxquelles tout

40 homme est exposé dans ce monde. « Il y a deux ans que je suis ici, dit le vieillard, sans autre consolation que moi-même et des livres ; je n'ai pas eu un moment de mauvaise humeur.

— Ah ! monsieur Gordon, s'écria l'Ingénu, vous n'aimez

45 donc pas votre marraine ? Si vous connaissiez comme moi Mlle de Saint-Yves, vous seriez au désespoir. » À ces mots il ne put retenir ses larmes, et il se sentit alors un peu moins oppressé. « Mais, dit-il, pourquoi donc les larmes soulagent-elles ? Il me semble qu'elles devraient faire un

50 effet contraire. — Mon fils, tout est physique en nous, dit le bon vieillard ; toute sécrétion fait du bien au corps ; et

---

1. **Lettres de cachet :** lettres émanant du roi et munies d'un cachet officiel qui contenaient un ordre d'emprisonnement ou d'exil.

tout ce qui le soulage soulage l'âme : nous sommes les machines[1] de la Providence. »

L'Ingénu, qui, comme nous l'avons dit plusieurs fois, avait un grand fonds d'esprit, fit de profondes réflexions 55 sur cette idée, dont il semblait qu'il avait la semence en lui-même. Après quoi il demanda à son compagnon pourquoi sa machine était depuis deux ans sous quatre verrous. « Par la grâce efficace[2], répondit Gordon ; je passe pour janséniste : j'ai connu Arnauld et Nicole[3] ; les jésuites 60 nous ont persécutés. Nous croyons que le pape n'est qu'un évêque comme un autre ; et c'est pour cela que le père de La Chaise a obtenu du roi, son pénitent, un ordre de me ravir, sans aucune formalité de justice, le bien le plus précieux des hommes, la liberté. – Voilà qui est bien étrange, 65 dit l'Ingénu ; tous les malheureux que j'ai rencontrés ne le sont qu'à cause du pape.

« À l'égard de votre grâce efficace, je vous avoue que je n'y entends rien ; mais je regarde comme une grande grâce que Dieu m'ait fait trouver dans mon malheur un 70 homme comme vous, qui verse dans mon cœur des consolations dont je me croyais incapable. »

Chaque jour la conversation devenait plus intéressante et plus instructive. Les âmes des deux captifs s'attachaient l'une à l'autre. Le vieillard savait beaucoup, et le jeune 75 homme voulait beaucoup apprendre. Au bout d'un mois il étudia la géométrie ; il la dévorait. Gordon lui fit lire la *Physique* de Rohault[4], qui était encore à la mode, et il eut le bon esprit de n'y trouver que des incertitudes.

---

1. **Machines :** le terme renvoie à un débat mis à la mode par Descartes à propos de l'éventuelle nature mécanique des animaux.
2. **Grâce efficace :** dans la terminologie janséniste, la grâce efficace (qui produit un effet) ne concerne que les élus de Dieu et s'oppose à la « grâce suffisante ».
3. **Arnauld et Nicole :** deux théologiens du jansénisme du XVIIe siècle.
4. **Rohault :** auteur d'un *Traité de physique* (1671), disciple de Descartes.

Chapitre X

Perturbation

Ensuite il lut le premier volume de la *Recherche de la vérité*[1]. Cette nouvelle lumière l'éclaira. « Quoi ! dit-il, notre imagination et nos sens nous trompent à ce point ! quoi ! les objets ne forment point nos idées, et nous ne pouvons nous les donner nous-mêmes ! » Quand il eut lu le second volume, il ne fut plus si content, et il conclut qu'il est plus aisé de détruire que de bâtir.

Son confrère, étonné qu'un jeune ignorant fît cette réflexion qui n'appartient qu'aux âmes exercées, conçut une grande idée de son esprit et s'attacha à lui davantage.

« Votre Malebranche, lui dit un jour l'Ingénu, me paraît avoir écrit la moitié de son livre avec sa raison, et l'autre avec son imagination et ses préjugés. »

Quelques jours après, Gordon lui demanda : « Que pensez-vous donc de l'âme, de la manière dont nous recevons nos idées, de notre volonté, de la grâce, du libre arbitre[2] ? – Rien, lui repartit l'Ingénu ; si je pensais quelque chose, c'est que nous sommes sous la puissance de l'Être éternel comme les astres et les éléments ; qu'il fait tout en nous, que nous sommes de petites roues de la machine immense dont il est l'âme ; qu'il agit par des lois générales et non par des vues particulières ; cela seul me paraît intelligible ; tout le reste est pour moi un abîme de ténèbres.

– Mais, mon fils, ce serait faire Dieu auteur du péché.

– Mais, mon père, votre grâce efficace ferait Dieu auteur du péché aussi : car il est certain que tous ceux à qui cette grâce serait refusée pécheraient ; et qui nous livre au mal n'est-il pas l'auteur du mal ? »

Cette naïveté embarrassait fort le bonhomme ; il sentait qu'il faisait de vains efforts pour se tirer de ce bourbier, et il entassait tant de paroles qui paraissaient avoir du sens

---

1. *De la recherche de la vérité* : ouvrage du prêtre philosophe Malebranche (1638-1715).
2. **Libre arbitre** : faculté de l'homme d'exercer librement sa volonté, indépendamment de forces extérieures.

et qui n'en avaient point (dans le goût de la prémotion physique[1]) que l'Ingénu en avait pitié. Cette question tenait évidemment à l'origine du bien et du mal ; et alors il fallait que le pauvre Gordon passât en revue la boîte de Pandore[2], l'œuf d'Orosmade percé par Arimane[3], l'inimitié entre Typhon[4] et Osiris, et enfin le péché originel[5] ; et ils couraient l'un et l'autre dans cette nuit profonde, sans jamais se rencontrer. Mais enfin ce roman de l'âme détournait leur vue de la contemplation de leur propre misère ; et par un charme étrange, la foule des calamités répandues sur l'univers diminuait la sensation de leurs peines : ils n'osaient se plaindre quand tout souffrait.

Mais dans le repos de la nuit, l'image de la belle Saint-Yves effaçait dans l'esprit de son amant toutes les idées de métaphysique et de morale. Il se réveillait les yeux mouillés de larmes ; et le vieux janséniste oubliait sa grâce efficace, et l'abbé de Saint-Cyran[6], et Jansénius[7], pour consoler un jeune homme qu'il croyait en péché mortel.

Après leurs lectures, après leurs raisonnements, ils parlaient encore de leurs aventures ; et après en avoir inutile-

---

1. **Prémotion physique :** doctrine de saint Thomas d'Aquin suivant laquelle c'est une impulsion divine qui fait l'homme.
2. **Pandore :** dans la mythologie, Pandore, parée de toutes les grâces, est envoyée aux hommes en guise de châtiment. La boîte qu'elle possédait contenait un ensemble de maux ; en l'ouvrant par curiosité, elle les répandit sur la terre.
3. **Arimane :** dieu principe du mal dans la religion perse. Son frère jumeau, Orosmade, incarne le principe du bien.
4. **Typhon :** nom grec du dieu égyptien Seth, autre incarnation du mal qui tuera son frère Osiris.
5. **Péché originel :** dans la Bible, la faute commise par Adam et Ève, qui mangèrent le fruit défendu et furent chassés du Paradis. Le péché fut transmis à tous leurs descendants (Genèse, ch. 3).
6. **Saint-Cyran :** théologien français cofondateur, avec Jansénius, du jansénisme (1581-1643).
7. **Jansénius :** Cornélius Jansen, dit Jansénius (1585-1638), auteur de l'*Augustinus* et fondateur du jansénisme.

ment parlé, ils lisaient ensemble ou séparément. L'esprit du jeune homme se fortifiait de plus en plus. Il serait surtout allé très loin en mathématiques, sans les distractions que lui donnait Mlle de Saint-Yves.

135   Il lut des histoires[1], elles l'attristèrent. Le monde lui parut trop méchant et trop misérable. En effet, l'histoire n'est que le tableau des crimes et des malheurs. La foule des hommes innocents et paisibles disparaît toujours sur ces vastes théâtres. Les personnages ne sont que des ambi-
140 tieux pervers. Il semble que l'histoire ne plaise que comme la tragédie, qui languit si elle n'est animée par les passions, les forfaits et les grandes infortunes. Il faut armer Clio[2] du poignard comme Melpomène[3].

  Quoique l'histoire de France soit remplie d'horreurs
145 ainsi que toutes les autres, cependant elle lui parut si dégoûtante dans ses commencements, si sèche dans son milieu, si petite enfin, même du temps de Henri IV, toujours si dépourvue de grands monuments, si étrangère à ces belles découvertes qui ont illustré d'autres nations,
150 qu'il était obligé de lutter contre l'ennui pour lire tous ces détails de <u>calamités obscures</u> resserrées dans un coin du monde.

  Gordon pensait comme lui. Tous deux riaient de pitié quand il était question des souverains de Fezensac, de
155 Fezansaguet et d'Astarac[4]. Cette étude en effet ne serait bonne que pour leurs héritiers s'ils en avaient. Les beaux siècles de la république romaine le rendirent quelque temps indifférent pour le reste de la terre. Le spectacle de Rome victorieuse et législatrice des nations occupait son
160 âme entière. Il s'échauffait en contemplant ce peuple qui

---

1. **Des histoires :** c'est-à-dire des livres d'histoire.
2. **Clio :** Muse de l'Histoire (mythologie grecque).
3. **Melpomène :** Muse de la Tragédie (mythologie grecque).
4. **Fezensac, Fezansaguet, Astarac :** trois petits comtés de l'Armagnac (Gascogne).

fut gouverné sept cents ans par l'enthousiasme de la liberté et de la gloire.

Ainsi se passaient <u>les jours, les semaines, les mois</u> ; et il se serait cru heureux dans le séjour du désespoir, s'il n'avait point aimé.   165

Son bon naturel s'attendrissait encore sur le prieur de Notre-Dame de la Montagne et sur la sensible Kerkabon. « Que penseront-ils, répétait-il souvent, quand ils n'auront point de mes nouvelles ? Ils me croiront un ingrat. » Cette idée le tourmentait ; il plaignait ceux qui l'aimaient, beau- 170
coup plus qu'il ne se plaignait lui-même.

CHAPITRE XI
Comment l'Ingénu développe son génie[1]

LA LECTURE agrandit l'âme, et un ami éclairé la console. Notre captif jouissait de ces deux avantages qu'il n'avait pas soupçonnés auparavant. « Je serais tenté, dit-il, de croire aux métamorphoses, car j'ai été changé de brute en
5 homme. » Il se forma une bibliothèque choisie d'une partie de son argent dont on lui permettait de disposer. Son ami l'encouragea à mettre par écrit ses réflexions. Voici ce qu'il écrivit sur l'histoire ancienne :

Je m'imagine que les nations ont été longtemps comme
10 *moi, qu'elles ne se sont instruites que fort tard, qu'elles n'ont été occupées pendant des siècles que du moment présent qui coulait, très peu du passé et jamais de l'avenir. J'ai parcouru cinq ou six cents lieues[2] du Canada, je n'y ai pas trouvé un seul monument ; personne n'y sait rien de ce qu'a fait son*
15 *bisaïeul. Ne serait-ce pas là l'état naturel de l'homme ? L'espèce de ce continent-ci me paraît supérieure à celle de l'autre. Elle a augmenté son être depuis plusieurs siècles par les arts et par les connaissances. Est-ce parce qu'elle a de la barbe au menton, et que Dieu a refusé la barbe aux*
20 *Américains ? Je ne le crois pas ; car je vois que les Chinois n'ont presque point de barbe, et qu'ils cultivent les arts*

---

1. **Génie :** disposition particulière, talent.
2. **Lieues :** environ quatre kilomètres.

depuis plus de cinq mille années. En effet, s'ils ont plus de quatre mille ans d'annales, il faut bien que la nation ait été rassemblée et florissante depuis plus de cinquante siècles.

Une chose me frappe surtout dans cette ancienne histoire 25 *de la Chine, c'est que presque tout y est vraisemblable et naturel. Je l'admire en ce qu'il n'y a rien de merveilleux[1].*

Pourquoi toutes les autres nations se sont-elles donné des origines fabuleuses ? Les anciens chroniqueurs de l'histoire de France, qui ne sont pas fort anciens, font venir les 30 *Français d'un Francus[2], fils d'Hector. Les Romains se disaient issus d'un Phrygien[3] quoiqu'il n'y eût pas dans leur langue un seul mot qui eût le moindre rapport à la langue de Phrygie. Les dieux avaient habité dix mille ans en Égypte et les diables en Scythie, où ils avaient engendré les Huns. Je* 35 *ne vois, avant Thucydide[4], que des romans semblables aux* Amadis[5]*, et beaucoup moins amusants. Ce sont partout des apparitions, des oracles, des prodiges, des sortilèges, des métamorphoses, des songes expliqués, et qui font la destinée des plus grands empires et des plus petits États : ici des bêtes* 40 *qui parlent, là des bêtes qu'on adore, des dieux transformés en hommes, et des hommes transformés en dieux. Ah ! s'il nous faut des fables, que ces fables soient du moins l'emblème de la vérité ! J'aime les fables des philosophes, je ris de celles des enfants, et je hais celles des imposteurs.* 45

---

1. **Merveilleux :** qui relève de la fable, surnaturel.
2. **Francus :** allusion à l'épopée de Ronsard, *La Franciade*, qui donne pour origine légendaire de la France un fils du héros de *L'Iliade*, Hector, nommé Francus.
3. **Phrygien :** allusion à Énée, fils d'Anchise, qui serait né en Phrygie, région de l'Asie Mineure.
4. **Thucydide :** historien du Ve siècle avant J.-C. considéré comme le père de l'histoire car il refusait le merveilleux et les explications providentielles.
5. **Les Amadis :** romans de chevalerie sur le modèle d'*Amadis de Gaule*, venu du Portugal au XIVe siècle et imité en France ainsi que dans toute l'Europe.

Chapitre XI

Il tomba un jour sur une histoire de l'empereur Justinien[1]. On y lisait que des apédeutes[2] de Constantinople avaient donné, en très mauvais grec, un édit contre le plus grand capitaine[3] du siècle, parce que ce héros avait prononcé ces paroles dans la chaleur de la conversation : *La vérité luit de sa propre lumière, et on n'éclaire pas les esprits avec les flammes des bûchers*[4]. Les apédeutes assurèrent que cette proposition était hérétique, sentant l'hérésie, et que l'axiome contraire était catholique, universel et grec : *On n'éclaire les esprits qu'avec la flamme des bûchers, et la vérité ne saurait luire de sa propre lumière.* Ces linostoles[5] condamnèrent ainsi plusieurs discours du capitaine, et donnèrent un édit.

« Quoi ! s'écria l'Ingénu, des édits rendus par ces gens-là ! – Ce ne sont point des édits, répliqua Gordon, ce sont des contre-édits, dont tout le monde se moquait à Constantinople, et l'empereur tout le premier : c'était un sage prince qui avait su réduire les apédeutes linostoles à ne pouvoir faire que du bien. Il savait que ces messieurs-là et plusieurs autres pastophores avaient lassé de contre-édits la patience des empereurs ses prédécesseurs en matière plus grave. – Il fit fort bien, dit l'Ingénu ; on doit soutenir les pastophores[6] et les contenir. »

Il mit par écrit beaucoup d'autres réflexions qui épouvantèrent le vieux Gordon. « Quoi ! dit-il en lui-même, j'ai

---

1. **Justinien (452-565) :** empereur romain.
2. **Apédeutes :** ignorants (mot forgé par Voltaire).
3. **Capitaine :** il s'agit de Bélisaire, personnage destitué par Justinien que Marmontel avait choisi comme un héros de son roman, *Bélisaire,* défendu par Voltaire et censuré par la Sorbonne en 1767.
4. **« La vérité... bûchers » :** phrase tirée du roman de Marmontel, *Bélisaire.*
5. **Linostoles :** littéralement « vêtus de lin » (néologisme de Voltaire pour désigner les docteurs en théologie de la Sorbonne).
6. **Pastophore :** prêtres, littéralement « porteurs de statuettes » (autre terme forgé par Voltaire à partir de racines grecques).

consumé cinquante ans à m'instruire, et je crains de ne pouvoir atteindre au bon sens naturel de cet enfant presque sauvage ! Je tremble d'avoir laborieusement fortifié des préjugés ; il n'écoute que la simple nature. »

Le bonhomme avait quelques-uns de ces petits livres de critique, de ces brochures périodiques où des hommes incapables de rien produire dénigrent les productions des autres, où les Visé[1] insultent aux Racine, et les Faydit[2] aux Fénelon. L'Ingénu en parcourut quelques-uns. « Je les compare, disait-il, à certains moucherons qui vont déposer leurs œufs dans le derrière des plus beaux chevaux : cela ne les empêche pas de courir. » À peine les deux philosophes daignèrent-ils jeter les yeux sur ces excréments de la littérature.

Ils lurent bientôt ensemble les éléments de l'astronomie ; l'Ingénu fit venir des sphères : ce grand spectacle le ravissait. « Qu'il est dur, disait-il, de ne commencer à connaître le ciel que lorsqu'on me ravit le droit de le contempler ! Jupiter et Saturne roulent dans ces espaces immenses ; des millions de soleils éclairent des milliards de mondes ; et dans le coin de terre où je suis jeté, il se trouve des êtres qui me privent, moi, être voyant et pensant, de tous ces mondes où ma vue pourrait atteindre, et de celui où Dieu m'a fait naître ! La lumière faite pour tout l'univers est perdue pour moi. On ne me la cachait pas dans l'horizon septentrional[3] où j'ai passé mon enfance et ma jeunesse. Sans vous, mon cher Gordon, je serais ici dans le néant. »

---

1. **Visé :** Donneau de Visé (1638-1710), fondateur du *Mercure galant* (1672), publication périodique qui attaqua notamment Racine et Molière.
2. **Faydit :** prêtre oratorien qui écrivit une *Télémachomanie* (1700) dirigée contre Fénelon, l'auteur de *Télémaque*.
3. **L'horizon septentrional :** le pays du Nord.

CHAPITRE XII
Ce que l'Ingénu pense des pièces de théâtre

LE JEUNE Ingénu ressemblait à un de ces arbres vigoureux qui, nés dans un sol ingrat, étendent en peu de temps leurs racines et leurs branches quand ils sont transplantés dans un terrain favorable ; et il était bien extraordinaire
5 qu'une prison fût ce terrain.

Parmi les livres qui occupaient le loisir des deux captifs, il se trouva des poésies, des traductions de tragédies grecques, quelques pièces du théâtre français. Les vers qui parlaient d'amour portèrent à la fois dans l'âme de l'Ingénu le plaisir
10 et la douleur. Ils lui parlaient tous de sa chère Saint-Yves. La fable des *Deux Pigeons*[1] lui perça le cœur : il était bien loin de pouvoir revenir à son colombier.

Molière l'enchanta. Il lui faisait connaître les mœurs de Paris et du genre humain. « À laquelle de ses comédies
15 donnez-vous la préférence ? – Au *Tartuffe*[2], sans difficulté. – Je pense comme vous, dit Gordon ; c'est un tartufe qui m'a plongé dans ce cachot, et peut-être, ce sont des tartufes qui ont fait votre malheur. Comment trouvez-vous ces tragédies grecques ? – Bonnes pour des Grecs », dit l'Ingénu.
20 Mais, quand il lut l'*Iphigénie* moderne, *Phèdre, Andromaque,*

---

1. « **Les Deux Pigeons** » : fable de La Fontaine (livre IX, 2).
2. *Le Tartuffe* : pièce de Molière (1664) mettant en scène un hypocrite jouant les dévots. Le nom commun peut s'écrire également « tartufe ».

Athalie[1], il fut en extase, il soupira, il versa des larmes, il les sut par cœur sans avoir envie de les apprendre.

« Lisez *Rodogune*[2], lui dit Gordon : on dit que c'est le chef-d'œuvre du théâtre ; les autres pièces qui vous ont fait tant de plaisir sont peu de chose en comparaison. » Le jeune homme, dès la première page, lui dit : « Cela n'est pas du même auteur. – À quoi le voyez-vous ? – Je n'en sais rien encore ; mais ces vers-là ne vont ni à mon oreille ni à mon cœur. – Oh ! ce n'est rien que les vers », répliqua Gordon. L'Ingénu répondit : « Pourquoi donc en faire ? »

Après avoir lu très attentivement la pièce, sans autre dessein que celui d'avoir du plaisir, il regardait son ami avec des yeux secs et étonnés, et ne savait que dire. Enfin, pressé de rendre compte de ce qu'il avait senti, voici ce qu'il répondit : « Je n'ai guère entendu[3] le commencement[4] ; j'ai été révolté du milieu, la dernière scène m'a beaucoup ému, quoiqu'elle me paraisse peu vraisemblable ; je ne me suis intéressé pour personne, et je n'ai pas retenu vingt vers, moi qui les retiens tous quand ils me plaisent.

– Cette pièce passe pourtant pour la meilleure que nous ayons. – Si cela est, répliqua-t-il, elle est peut-être comme bien des gens qui ne méritent pas leurs places. Après tout, c'est ici une affaire de goût : le mien ne doit pas encore être formé ; je peux me tromper ; mais vous savez que je suis assez accoutumé à dire ce que je pense, ou plutôt ce que je sens. Je soupçonne qu'il y a souvent de l'illusion, de la mode, du caprice, dans les jugements des hommes. J'ai parlé d'après la nature : il se peut que chez moi la nature soit très imparfaite ; mais il se peut aussi qu'elle soit quel-

---

1. **Iphigénie, Phèdre, Andromaque, Athalie :** tragédies de Racine jouées respectivement en 1674 pour les deux premières, puis en 1667 et en 1691.
2. **Rodogune :** tragédie de Corneille (1644).
3. **Entendu :** compris.
4. **Le commencement :** l'exposition, dont Voltaire regrettait l'obscurité.

quefois peu consultée par la plupart des hommes. » Alors il récita des vers d'*Iphigénie,* dont il était plein ; et quoiqu'il ne déclamât pas bien, il y mit tant de vérité et d'onction[1] qu'il fit pleurer le vieux janséniste. Il lut ensuite *Cinna*[2] ; il ne pleura point, mais il admira. « Je suis fâché pourtant, dit-il, que cette brave fille reçoive tous les jours des rouleaux[3] de l'homme qu'elle veut faire assassiner. Je lui dirai volontiers ce que j'ai lu dans *Les Plaideurs*[4] : Eh ! Rendez donc l'argent ! »

---

1. **Onction :** émotion.
2. *Cinna :* tragédie de Corneille (1640).
3. **Rouleaux :** pièces d'or qu'Émilie accepte de Cinna, alors qu'elle souhaite le faire assassiner.
4. *Les Plaideurs :* la seule comédie de Racine (1668).

Clefs d'analyse

Chapitres X à XII.

Compréhension

Les progrès du Huron

- Discerner dans les trois chapitres les domaines dans lesquels l'Ingénu se rapproche de l'esprit d'un homme civilisé. Relever les traits qui attestent la fidélité à ses origines.

Une pause dans le récit

- Observer la rareté des péripéties dans ces chapitres. Justifier la nécessité de ceux-ci pour la cohérence du roman.

Réflexion

La condition humaine (chap. X)

- Analyser la position de Gordon et les objections que lui oppose l'Ingénu. Expliquer la critique de la Providence.

« La lecture agrandit l'âme » (chap. XI)

- Expliquer en quoi cette maxime qui ouvre le chapitre XI est vérifiée par le contenu de ce chapitre et du suivant.
- Analyser l'argumentation suivie dans le développement sur l'histoire ancienne.

Un morceau de critique littéraire (chap. XII)

- Discuter la pertinence et l'originalité du parallèle entre Corneille et Racine.
- Analyser ces goûts littéraires à la lumière de la situation de l'Ingénu : homme naturel, amoureux, détenu, inculte, etc.

À retenir :

L'Ingénu, converti et baptisé, se doit de découvrir les vrais avantages de la vie civilisée, le savoir et la culture. Le séjour à la Bastille se prête idéalement à cette initiation intellectuelle, bien que Voltaire en souligne l'aspect paradoxal (chap. XII). L'auteur délaisse le fil narratif pour nous livrer, dans cette pause romanesque, ses propres opinions en matière philosophique et littéraire.

CHAPITRE XIII
La belle Saint-Yves va à Versailles

PENDANT que notre infortuné s'éclairait plus qu'il ne se consolait ; pendant que son génie[1], étouffé depuis si long-temps, se déployait avec tant de rapidité et de force ; pen-dant que la nature, qui se perfectionnait en lui, le vengeait
5 des outrages de la fortune, que devinrent M. le prieur et sa bonne sœur, et la belle recluse Saint-Yves ? Le premier mois, on fut inquiet, et au troisième, on fut plongé dans la douleur : les fausses conjectures, les bruits mal fondés alarmèrent ; au bout de six mois on le crut mort. Enfin,
10 M. et Mlle de Kerkabon apprirent, par une ancienne lettre qu'un garde du roi avait écrite en Bretagne, qu'un jeune homme semblable à l'Ingénu était arrivé un soir à Versailles, mais qu'il avait été enlevé pendant la nuit, et que depuis ce temps personne n'en avait entendu parler.
15 « Hélas ! dit Mlle de Kerkabon, notre neveu aura fait quelque sottise et se sera attiré de fâcheuses affaires. Il est jeune, il est Bas-breton, il ne peut savoir comme on doit se comporter à la cour. Mon cher frère, je n'ai jamais vu Versailles ni Paris ; voici une belle occasion, nous retrou-
20 verons peut-être notre pauvre neveu : c'est le fils de notre frère, notre devoir est de le secourir. Qui sait si nous ne

---

1. **Son génie** : ses qualités personnelles.

pourrons point parvenir enfin à le faire sous-diacre, quand la fougue de la jeunesse sera amortie ? Il avait beaucoup de dispositions pour les sciences[1]. Vous souvenez-vous comme il raisonnait sur l'Ancien et sur le Nouveau Testament ? Nous sommes responsables de son âme ; c'est nous qui l'avons fait baptiser ; sa chère maîtresse Saint-Yves passe les journées à pleurer. En vérité, il faut aller à Paris. S'il est caché dans quelqu'une de ces vilaines maisons de joie dont on m'a fait tant de récits, nous l'en tirerons. » Le prieur fut touché des discours de sa sœur. Il alla trouver l'évêque de Saint-Malo, qui avait baptisé le Huron, et lui demanda sa protection et ses conseils. Le prélat[2] approuva le voyage. Il donna au prieur des lettres de recommandation pour le père de La Chaise, confesseur du roi, qui avait la première dignité du royaume ; pour l'archevêque de Paris Harlay[3], et pour l'évêque de Meaux Bossuet[4].

Enfin le frère et la sœur partirent ; mais, quand ils furent arrivés à Paris, ils se trouvèrent égarés comme dans un vaste labyrinthe sans fil et sans issue. Leur fortune était médiocre ; il leur fallait tous les jours des voitures pour aller à la découverte, et ils ne découvraient rien.

Le prieur se présenta chez le révérend père de La Chaise : il était avec Mlle du Tron[5], et ne pouvait donner audience à des prieurs. Il alla à la porte de l'archevêque : le prélat était enfermé avec la belle Mme de Lesdiguières pour les affaires de l'Église. Il courut à la maison de campagne de l'évêque de Meaux : celui-ci examinait avec Mlle

---

1. **Les sciences :** le savoir en général.
2. **Le prélat :** l'évêque précédemment cité.
3. **Harlay :** prélat connu pour ses mœurs dissolues.
4. **Bossuet (1627-1704) :** évêque de Meaux à partir de 1681, connu par ses sermons et ses oraisons funèbres.
5. **Mlle du Tron :** nièce de Bontemps, premier valet de chambre de Louis XIV.

50 de Mauléon[1] l'amour mystique de Mme Guyon[2]. Cependant il parvint à se faire entendre de ces deux prélats ; tous deux lui déclarèrent qu'ils ne pouvaient se mêler de son neveu, attendu qu'il n'était pas sous-diacre.

Enfin il vit le jésuite ; celui-ci le reçut à bras ouverts, lui
55 protesta qu'il avait toujours eu pour lui une estime particulière, ne l'ayant jamais connu. Il jura que la Société[3] avait toujours été attachée aux Bas-Bretons. « Mais, dit-il, votre neveu n'aurait-il pas le malheur d'être huguenot ? – Non, assurément, mon Révérend Père. – Serait-il point
60 janséniste ? – Je puis assurer à Votre Révérence qu'à peine est-il chrétien. Il y a environ onze mois que nous l'avons baptisé. – Voilà qui est bien, voilà qui est bien, nous aurons soin de lui. Votre bénéfice[4] est-il considérable ? – Oh ! fort peu de chose, et mon neveu nous coûte beau-
65 coup. – Y a-t-il quelques jansénistes dans le voisinage ? Prenez bien garde, mon cher monsieur le prieur, ils sont plus dangereux que les huguenots et les athées. – Mon Révérend Père, nous n'en avons point ; on ne sait ce que c'est que le jansénisme à Notre-Dame de la Montagne. –
70 Tant mieux ; allez, il n'y a rien que je ne fasse pour vous. » Il congédia affectueusement le prieur, et n'y pensa plus.

Le temps s'écoulait, le prieur et la bonne sœur se désespéraient.

Cependant le maudit bailli pressait le mariage de son
75 grand benêt de fils avec la belle Saint-Yves, qu'on avait fait sortir exprès du couvent. Elle aimait toujours son cher filleul autant qu'elle détestait le mari qu'on lui présentait.

---

1. **Mlle de Mauléon :** la rumeur prétendait qu'elle entretenait une liaison avec Bossuet.

2. **Mme Guyon :** elle défendait la thèse religieuse prônant l'amour mystique appelée le « quiétisme » que combattait Bossuet.

3. **La Société :** la Société de Jésus, ou Compagnie de Jésus, c'est-à-dire l'ordre des Jésuites.

4. **Bénéfice :** revenu tiré d'une fonction ecclésiastique.

L'affront d'avoir été mise dans un couvent augmentait sa passion. L'ordre d'épouser le fils du bailli y mettait le comble. Les regrets, la tendresse et l'horreur bouleversaient son 80 âme. L'amour, comme on sait, est bien plus ingénieux et plus hardi dans une jeune fille que l'amitié ne l'est dans un vieux prieur et dans une tante de quarante-cinq ans passés. De plus, elle s'était bien formée dans son couvent par les romans qu'elle avait lus à la dérobée. 85

La belle Saint-Yves se souvenait de la lettre qu'un garde du corps avait écrite en Basse-Bretagne, et dont on avait parlé dans la province. Elle résolut d'aller elle-même prendre des informations à Versailles, de se jeter aux pieds des ministres si son mari était en prison, comme on le disait, 90 et d'obtenir justice pour lui. Je ne sais quoi l'avertissait secrètement qu'à la cour on ne refuse rien à une jolie fille. Mais elle ne savait pas ce qu'il en coûtait

Sa résolution prise, elle est consolée, elle est tranquille, elle ne rebute plus son sot prétendu ; elle accueille le 95 détestable beau-père, caresse[1] son frère, répand l'allégresse dans la maison ; puis, le jour destiné à la cérémonie, elle part secrètement à quatre heures du matin avec ses petits présents de noce et tout ce qu'elle a pu rassembler. Ses mesures étaient si bien prises qu'elle était déjà à 100 plus de dix lieues lorsqu'on entra dans sa chambre vers le midi. La surprise et la consternation furent grandes. L'interrogant bailli fit ce jour-là plus de questions qu'il n'en avait fait dans toute la semaine ; le mari resta plus sot qu'il ne l'avait jamais été. L'abbé de Saint-Yves en colère 105 prit le parti de courir après sa sœur. Le bailli et son fils voulurent l'accompagner. Ainsi la destinée conduisait à Paris presque tout ce canton de la Basse-Bretagne.

La belle Saint-Yves se doutait bien qu'on la suivrait. Elle était à cheval ; elle s'informait adroitement des courriers 110

---

1. **Caresse :** traite avec affection.

s'ils n'avaient point rencontré un gros abbé, un énorme
bailli et un jeune benêt, qui couraient sur le chemin de
Paris. Ayant appris au troisième jour qu'ils n'étaient pas
loin, elle prit une route différente, et eut assez d'habileté
115 et de bonheur pour arriver à Versailles tandis qu'on la
cherchait inutilement dans Paris.

Mais comment se conduire à Versailles ? Jeune, belle,
sans conseil, sans appui, inconnue, exposée à tout, comment oser chercher un garde du roi ? Elle imagina de
120 s'adresser à un jésuite du bas étage[1] : il y en avait pour
toutes les conditions de la vie ; comme Dieu, disaient-ils, a
donné différentes nourritures aux diverses espèces d'animaux. Il avait donné au roi son confesseur, que tous les
solliciteurs de bénéfices appelaient le *chef de l'Église galli-*
125 *cane*, ensuite venaient les confesseurs des princesses ; les
ministres n'en avaient point : ils n'étaient pas si sots. Il y
avait les jésuites du grand commun[2], et surtout les jésuites
des femmes de chambre, par lesquelles on savait les
secrets des maîtresses, et ce n'était pas un petit emploi. La
130 belle Saint-Yves s'adressa à un de ces derniers, qui s'appe-
lait le père Tout-à-tous[3]. Elle se confessa à lui, lui exposa
ses aventures, son état, son danger, et le conjura de la
loger chez quelque bonne dévote qui la mît à l'abri des
tentations.

135 Le père Tout-à-tous l'introduisit chez la femme d'un officier du gobelet[4], l'une de ses plus affidées[5] pénitentes. Dès
qu'elle y fut, elle s'empressa de gagner la confiance et

---

1. **Du bas étage :** occupant des fonctions subalternes.
2. **Le grand commun :** les officiers de la maison du roi, qui se distin-
guaient du « petit commun », officiers d'un rang plus élevé.
3. **Tout-à-tous :** nom à valeur ironique, sans doute inspiré par la devise
des jésuites empruntée à saint Paul : « Je me suis fait tout à tous, afin
de les sauver tous. » (*Épîtres aux Corinthiens*, IX, 22).
4. **Officier du gobelet :** officier chargé d'assurer le ravitaillement de la
table du roi et de goûter les mets pour prévenir les empoisonnements.
5. **Affidées :** fidèles, à qui l'on fait confiance.

l'amitié de cette femme ; elle s'informa du garde breton, et le fit prier de venir chez elle. Ayant su de lui que son amant avait été enlevé après avoir parlé à un premier commis, elle court chez ce commis : la vue d'une belle femme l'adoucit, car il faut convenir que Dieu n'a créé les femmes que pour apprivoiser les hommes.

Le plumitif attendri lui avoua tout. « Votre amant est à la Bastille depuis près d'un an, et sans vous il y serait peut-être toute sa vie. » La tendre Saint Yves s'évanouit. Quand elle eut repris ses sens, le plumitif lui dit : « Je suis sans crédit pour faire du bien ; tout mon pouvoir se borne à faire du mal quelquefois. Croyez-moi, allez chez M. de Saint-Pouange[1] qui fait le bien et le mal, cousin et favori de Mgr de Louvois. Ce ministre a deux âmes : M. de Saint-Pouange en est une ; Mme Du Belloy[2], l'autre ; mais elle n'est pas présente à Versailles : il ne vous reste que de fléchir le protecteur que je vous indique. »

La belle Saint-Yves, partagée entre un peu de joie et d'extrêmes douleurs, entre quelque espérance et de tristes craintes, poursuivie par son frère, adorant son amant, essuyant ses larmes et en versant encore, tremblante, affaiblie, et reprenant courage, courut vite chez M. de Saint-Pouange.

---

1. **Saint-Pouange :** premier commis de Louvois, ministre de la Guerre. À travers lui, Voltaire visait M. de Saint-Florentin, secrétaire d'État, habitué à délivrer des lettres de cachet.
2. **Mme du Belloy :** ce personnage correspond à Mme du Fresnoye, maîtresse présumée de Louvois.

CHAPITRE XIV
Progrès de l'esprit de l'Ingénu

L'Ingénu faisait des progrès rapides dans les sciences, et surtout dans la science de l'homme. La cause du développement rapide de son esprit était due à son éducation sauvage presque autant qu'à la trempe de son âme. Car, n'ayant rien appris dans son enfance, il n'avait point appris de préjugés. Son entendement, n'ayant point été courbé par l'erreur, était demeuré dans toute sa rectitude[1]. Il voyait les choses comme elles sont, au lieu que les idées qu'on nous donne dans l'enfance nous les font voir toute notre vie comme elles ne sont point. « Vos persécuteurs sont abominables, disait-il à son ami Gordon. Je vous plains d'être opprimé, mais je vous plains d'être janséniste. Toute secte me paraît le ralliement de l'erreur. Dites-moi s'il y a des sectes en géométrie ? – Non, mon cher enfant, lui dit en soupirant le bon Gordon ; tous les hommes sont d'accord sur la vérité quand elle est démontrée, mais ils sont trop partagés sur les vérités obscures. – Dites sur les faussetés obscures. S'il y avait eu une seule vérité cachée dans vos amas d'arguments qu'on ressasse depuis tant de siècles, on l'aurait découverte sans doute ; et l'univers aurait été d'accord au moins sur ce point-là. Si cette vérité était nécessaire comme le soleil l'est à la terre, elle serait brillante comme lui. C'est une absurdité, c'est un outrage au genre humain, c'est un attentat contre l'Être infini et

---

1. **Rectitude :** justesse et droiture.

suprême de dire : "Il y a une vérité essentielle à l'homme, 25
et Dieu l'a cachée." »

Tout ce que disait ce jeune ignorant, instruit par la
nature, faisait une impression profonde sur l'esprit du
vieux savant infortuné. « Serait-il bien vrai, s'écria-t-il, que
je me fusse rendu malheureux pour des chimères ? Je suis 30
bien plus sûr de mon malheur que de la grâce efficace. J'ai
consumé mes jours à raisonner sur la liberté de Dieu et du
genre humain, mais j'ai perdu la mienne ; ni saint Augustin
ni Prosper[1] ne me tireront de l'abîme où je suis. »

L'Ingénu, livré à son caractère, dit enfin : « Voulez-vous 35
que je vous parle avec une confiance hardie ? Ceux qui se
font persécuter pour ces vaines disputes[2] de l'école me
semblent peu sages ; ceux qui persécutent me paraissent
des monstres. »

Les deux captifs étaient fort d'accord sur l'injustice de 40
leur captivité. « Je suis cent fois plus à plaindre que vous,
disait l'Ingénu ; je suis né libre comme l'air ; j'avais deux
vies, la liberté et l'objet de mon amour : on me les ôte.
Nous voici tous deux dans les fers[3], sans en savoir la raison, et sans pouvoir la demander. J'ai vécu huron vingt 45
ans ; on dit que ce sont des barbares parce qu'ils se ven-
gent de leurs ennemis ; mais ils n'ont jamais opprimé leurs
amis. À peine ai-je mis le pied en France que j'ai versé
mon sang pour elle ; j'ai peut-être sauvé une province, et
pour récompense je suis englouti dans ce tombeau des 50
vivants, où je serais mort de rage sans vous. Il n'y a donc
pas de lois dans ce pays ! On condamne les hommes sans
les entendre ! Il n'en est pas ainsi en Angleterre. Ah ! ce
n'était pas contre les Anglais que je devais me battre. »
Ainsi sa philosophie naissante ne pouvait dompter la 55

---

1. **Prosper :** Prosper d'Aquitaine, disciple de saint Augustin (Ve siècle).
2. **Disputes :** discussions en matière de religion.
3. **Être dans les fers :** être emprisonné.

nature outragée dans le premier de ses droits, et laissait un libre cours à sa juste colère.

Son compagnon ne le contredit point. L'absence augmente toujours l'amour qui n'est pas satisfait, et la philo-
60 sophie ne le diminue pas. Il parlait aussi souvent de sa chère Saint-Yves que de morale et de métaphysique. Plus ses sentiments s'épuraient, et plus il aimait. Il lut quelques romans nouveaux ; il en trouva peu qui lui peignissent la situation de son âme. Il sentait que son cœur allait tou-
65 jours au-delà de ce qu'il lisait. « Ah ! disait-il, presque tous ces auteurs-là n'ont que de l'esprit et de l'art. » Enfin le bon prêtre janséniste devenait insensiblement le confident de sa tendresse. Il ne connaissait l'amour auparavant que comme un péché dont on s'accuse en confession. Il apprit
70 à le connaître comme un sentiment aussi noble que tendre, qui peut élever l'âme autant que l'amollir, et produire même quelquefois des vertus. Enfin, pour dernier prodige, un Huron convertissait un janséniste.

Synthèse Chapitres X à XIV

Les deux captifs

Personnages

« Un vieillard frais et serein »

L'entrée de Gordon dans le roman en modifie la perspective, puisque le vieux janséniste va devenir l'initiateur intellectuel du sauvage. Elle marque aussi la victoire de la pensée et de la culture sur l'agitation brouillonne. Gordon, plus qu'un janséniste militant, semble représenter le philosophe revenu des illusions de la vie et converti à une sage patience. Il a aussi pour lui d'avoir beaucoup lu, de connaître l'art d'accoucher les esprits, de relativiser le savoir, de se méfier de la métaphysique, d'être ouvert au changement puisque le Huron, « jeune ignorant » (chap. XIV), lui enseigne la tendresse qui lui faisait défaut. Voltaire, si discret sur lui-même, pourrait bien, avec ce « vieux savant infortuné » (*ibid.*), nous avoir laissé l'esquisse d'un autoportrait.

Comme Mlle de Saint-Yves, comme l'Ingénu, Gordon connaît aussi une évolution. Pendant que le Huron se transforme de « brute en homme », lui va perdre de sa rigidité idéologique, atténuer son pessimisme et surtout s'ouvrir à l'amour. La conclusion du chapitre XIV souligne cet apprentissage inattendu qui inverse les fonctions du couple maître/élève : « Enfin, pour dernier prodige, un Huron convertissait un janséniste. »

Langage

Les fils entrelacés

Le fil de la première intrigue – les amours de l'Ingénu et de Mlle de Saint-Yves – semble brutalement se rompre avec l'emprisonnement du héros à la Bastille où commence vraiment, deuxième fil, son éducation. Conscient de cette rupture narrative, Voltaire s'est efforcé de glisser dès le chapitre X quelques mentions de l'aventure sentimentale (aux lignes 45-46 et 123-124, par exemple) ; il fait aussi évoluer l'austère janséniste du côté de l'amour (fin du chapitre XIV), et surtout il interrompt la série de chapitres consacrée au duo de prisonniers pour revenir, de manière incongrue, à l'histoire de la belle Sainte-Yves (chap. XIII). La cohérence du tissage romanesque est ainsi assurée, et l'entrelacement permet en outre des effets de suspense, le résultat de la démarche de la jeune Bretonne étant différé d'un chapitre.

Société

Les vertus de la prison

Voltaire, qui, dans sa jeunesse, a vécu l'expérience de la Bastille, pousse la malice jusqu'à retourner le symbole de la prison. Ce lieu d'expiation et de souffrance sera celui du grandissement du héros. L'Ingénu (préfiguration curieuse d'un autre détenu heureux, Fabrice del Dongo dans *La Chartreuse de Parme* de Stendhal) progresse en matière de jugement sur l'humanité, accroît ses connaissances et se dote, grâce à ses dispositions naturelles et à l'aide de son mentor, d'un solide goût littéraire. L'ironie du paradoxe nous signale l'artifice de ces chapitres destinés essentiellement à introduire, sous couvert du jugement d'un étranger de bon sens, quelques réflexions sur des questions esthétiques et philosophiques. L'effet est particulièrement net au moment du débat métaphysique du chapitre X où sont abordés, sans réelle nécessité, les questions du libre arbitre, du péché, de la grâce, de l'origine du bien et du mal.

CHAPITRE XV
La belle Saint-Yves résiste à des propositions délicates

LA BELLE Saint-Yves, plus tendre encore que son amant, alla donc chez M. de Saint-Pouange, accompagnée de l'amie chez qui elle logeait, toutes deux cachées dans leurs coiffes[1]. La première chose qu'elle vit à la porte ce fut l'abbé de Saint-Yves, son frère, qui en sortait. Elle fut inti- 5 midée ; mais la dévote amie la rassura. « C'est précisément parce qu'on a parlé contre vous qu'il faut que vous parliez. Soyez sûre que dans ce pays les accusateurs ont toujours raison si on ne se hâte de les confondre. Votre présence d'ailleurs, ou je me trompe fort, fera plus d'effet que les 10 paroles de votre frère. »

Pour peu qu'on encourage une amante passionnée, elle est intrépide. La Saint-Yves se présente à l'audience. Sa jeunesse, ses charmes, ses yeux tendres, mouillés de quelques pleurs, attirèrent tous les regards. Chaque courtisan du 15 sous-ministre oublia un moment l'idole[2] du pouvoir pour contempler celle de la beauté. Le Saint-Pouange la fit entrer dans un cabinet[3] ; elle parla avec attendrissement et avec grâce. Saint-Pouange se sentit touché. Elle trem- blait, il la rassura. « Revenez ce soir, lui dit-il ; vos affaires 20

---

1. **Coiffe :** sorte de mantille en taffetas que portaient les dames sur la tête pour sortir.
2. **Idole :** au sens étymologique d'image (*eidôlon,* en grec).
3. **Cabinet :** petite pièce à l'écart.

méritent qu'on y pense et qu'on en parle à loisir. Il y a ici trop de monde. On expédie les audiences trop rapidement. Il faut que je vous entretienne à fond de tout ce qui vous regarde. » Ensuite, ayant fait l'éloge de sa beauté et de ses
25 sentiments, il lui recommanda de venir à sept heures du soir.

Elle n'y manqua pas ; la dévote amie l'accompagna encore, mais elle se tint dans le salon, et lut le *Pédagogue chrétien*[1], pendant que le Saint-Pouange et la belle Saint-Yves étaient dans l'arrière-cabinet. « Croiriez-vous bien,
30 mademoiselle, lui dit-il d'abord, que votre frère est venu me demander une lettre de cachet[2] contre vous ? En vérité j'en expédierais plutôt une pour le renvoyer en Basse-Bretagne. — Hélas ! monsieur, on est donc bien libéral[3] de lettres de cachet dans vos bureaux, puisqu'on en vient sol-
35 liciter du fond du royaume, comme des pensions ? Je suis bien loin d'en demander une contre mon frère. J'ai beaucoup à me plaindre de lui, mais je respecte la liberté des hommes ; je demande celle d'un homme que je veux épouser, d'un homme à qui le roi doit la conservation
40 d'une province, qui peut le servir utilement, et qui est fils d'un officier tué à son service. De quoi est-il accusé ? Comment a-t-on pu le traiter si cruellement sans l'entendre ? »

Alors le sous-ministre lui montra la lettre du jésuite espion et celle du perfide bailli. « Quoi ! il y a de pareils
45 monstres sur la terre ! et on veut me forcer ainsi à épouser le fils ridicule d'un homme ridicule et méchant ! et c'est sur de pareils avis qu'on décide ici de la destinée des citoyens ! » Elle se jeta à genoux, elle demanda avec des sanglots la liberté du brave homme qui l'adorait. Ses charmes
50 dans cet état parurent dans leur plus grand avantage. Elle

---

1. **Le *Pédagogue chrétien* :** guide populaire de formation religieuse, méprisé par Voltaire, dû au père d'Outreman et publié vers 1645.
2. **Lettre de cachet :** lettre signée du roi contenant un ordre d'empri-sonnement.
3. **Libéral :** généreux, qui aime donner.

était si belle que le Saint-Pouange, perdant toute honte, lui insinua qu'elle réussirait si elle commençait par lui donner les prémices[1] de ce qu'elle réservait à son amant. La Saint-Yves, épouvantée et confuse, feignit longtemps de ne le pas entendre ; il fallut s'expliquer plus clairement. Un mot lâché d'abord avec retenue en produisait un plus fort, suivi d'un autre plus expressif. On offrit non seulement la révocation de la lettre de cachet, mais des récompenses, de l'argent, des honneurs, des établissements[2], et plus on promettait, plus le désir de n'être pas refusé augmentait.

La Saint-Yves pleurait, elle était suffoquée, à demi renversée sur un sofa, croyant à peine ce qu'elle voyait, ce qu'elle entendait. Le Saint-Pouange, à son tour, se jeta à ses genoux. Il n'était pas sans agréments, et aurait pu ne pas effaroucher un cœur moins prévenu[3]. Mais Saint-Yves adorait son amant et croyait que c'était un crime horrible de le trahir pour le servir. Saint-Pouange redoublait les prières et les promesses. Enfin, la tête lui tourna au point qu'il lui déclara que c'était le seul moyen de tirer de sa prison l'homme auquel elle prenait un intérêt si violent et si tendre. Cet étrange entretien se prolongeait. La dévote de l'antichambre, en lisant son *Pédagogue chrétien*, disait : « Mon Dieu ! que peuvent-ils faire là depuis deux heures ? Jamais Mgr de Saint-Pouange n'a donné une si longue audience ; peut-être qu'il a tout refusé à cette pauvre fille, puisqu'elle le prie encore. »

Enfin sa compagne sortit de l'arrière-cabinet, tout éperdue, sans pouvoir parler, réfléchissant profondément sur le caractère des grands et des demi-grands qui sacrifient si légèrement la liberté des hommes et l'honneur des femmes.

---

1. **Prémices :** les premiers fruits. Le sens imagé désigne ici la virginité de Mlle de Saint-Yves.
2. **Établissements :** situation ou poste avantageux.
3. **Prévenu :** hostile par principe parce qu'engagé ailleurs.

Chapitre XV

Elle ne dit pas un mot pendant tout le chemin. Arrivée chez l'amie, elle éclata, elle lui conta tout. La dévote fit de grands signes de croix : « Ma chère amie, il faut consulter
85 dès demain le père Tout-à-tous, notre directeur[1] ; il a beaucoup de crédit auprès de M. de Saint-Pouange ; il confesse plusieurs servantes de sa maison ; c'est un homme pieux et accommodant, qui dirige aussi des femmes de qualité. Abandonnez-vous à lui, c'est ainsi que j'en use ; je m'en suis
90 toujours bien trouvée. Nous autres, pauvres femmes, nous avons besoin d'être conduites par un homme. — Eh bien, donc ! ma chère amie, j'irai trouver demain le père Tout-à-tous. »

---

1. **Directeur :** directeur de conscience ou confesseur attaché à guider les fidèles, notamment nobles.

CHAPITRE XVI
Elle consulte un jésuite

DÈS QUE la belle et désolée Saint-Yves fut avec son bon confesseur, elle lui confia qu'un homme puissant et voluptueux lui proposait de faire sortir de prison celui qu'elle devait épouser légitimement, et qu'il demandait un grand prix de son service ; qu'elle avait une répugnance horrible 5 pour une telle infidélité, et que, s'il ne s'agissait que de sa propre vie, elle la sacrifierait plutôt que de succomber.

« Voilà un abominable pécheur ! lui dit le père Tout-à-tous. Vous devriez bien me dire le nom de ce vilain homme ; c'est à coup sûr quelque janséniste ; je le dénon- 10 cerai à Sa Révérence le père de La Chaise, qui le fera mettre dans le gîte où est à présent la chère personne que vous devez épouser. »

La pauvre fille, après un long embarras et de grandes irrésolutions, lui nomma enfin Saint-Pouange. 15

« Mgr de Saint-Pouange ! s'écria le jésuite ; ah ! ma fille, c'est tout autre chose ; il est cousin du plus grand ministre que nous ayons jamais eu, homme de bien, protecteur de la bonne cause, bon chrétien ; il ne peut avoir eu une telle pensée, il faut que vous ayez mal entendu. — Ah ! mon 20 père, je n'ai entendu que trop bien ; je suis perdue, quoi que je fasse ; je n'ai que le choix du malheur et de la honte ; il faut que mon amant reste enseveli tout vivant, ou que je me rende indigne de vivre. Je ne puis le laisser périr, et je ne puis le sauver. » 25

Chapitre XVI

Le père Tout-à-tous tâcha de la calmer par ces douces paroles :

« Premièrement, ma fille, ne dites jamais ce mot, *mon amant* ; il a quelque chose de mondain[1] qui pourrait offenser Dieu. Dites : *mon mari* ; car, bien qu'il ne le soit pas encore, vous le regardez comme tel ; et rien n'est plus honnête.

« Secondement, bien qu'il soit votre époux en idée, en espérance, il ne l'est pas en effet[2] : ainsi vous ne commettriez pas un adultère, péché énorme qu'il faut toujours éviter autant que possible.

« Troisièmement, les actions ne sont pas d'une malice de coulpe[3] quand l'intention est pure ; et rien n'est plus pur que de délivrer votre mari.

« Quatrièmement, vous avez des exemples dans la sainte Antiquité qui peuvent merveilleusement servir à votre conduite. Saint Augustin rapporte que sous le proconsulat de Septimius Acindynus[4], en l'an 340 de notre salut, un pauvre homme, ne pouvant payer à César ce qui appartenait à César, fut condamné à la mort, comme il est juste, malgré la maxime : *Où il n'y a rien le roi perd ses droits*. Il s'agissait d'une livre d'or ; le condamné avait une femme en qui Dieu avait mis la beauté et la prudence. Un vieux richard promit de donner une livre d'or, et même plus, à la dame, à condition qu'il commettrait avec elle le péché immonde[5]. La dame ne crut point mal faire en sauvant la vie à son mari. Saint Augustin approuve fort sa

---

1. **Mondain :** qui ne relève pas du religieux, profane – donc coupable.
2. **En effet :** dans les faits, en réalité.
3. **Malice de coulpe :** inclination volontaire à faire le mal (la *coulpe* est le péché).
4. **Septimius Acindynus :** cette histoire est empruntée au *Dictionnaire* de Bayle. Dans *Cosi-Sancta*, un conte de 1714 publié en 1746, Voltaire l'a déjà utilisée.
5. **Le péché immonde :** le péché de chair (langage religieux).

généreuse résignation. Il est vrai que le vieux richard la trompa, et peut-être même son mari n'en fut pas moins pendu ; mais elle avait fait tout ce qui était en elle pour sauver sa vie.

« Soyez sûre, ma fille, que, quand un jésuite vous cite saint Augustin, il faut que ce saint ait pleinement raison. Je ne vous conseille rien ; vous êtes sage ; il est à présumer que vous serez utile à votre mari. Mgr de Saint-Pouange est un honnête homme, il ne vous trompera pas ; c'est tout ce que je puis vous dire ; je prierai Dieu pour vous, et j'espère que tout se passera à sa plus grande gloire. »

La belle Saint-Yves, non moins effrayée des discours du jésuite que des propositions du sous-ministre, s'en retourna éperdue chez son amie. Elle était tentée de se délivrer par la mort de l'horreur de laisser dans une captivité affreuse l'amant qu'elle adorait, et de la honte de le délivrer au prix de ce qu'elle avait de plus cher, et qui ne devait appartenir qu'à cet amant infortuné.

CHAPITRE XVII
Elle succombe par vertu

ELLE PRIAIT son amie de la tuer ; mais cette femme, non moins indulgente que le jésuite, lui parla plus clairement encore. « Hélas ! dit-elle, les affaires ne se font guère autrement dans cette cour si aimable, si galante et si renommée. Les places les plus médiocres et les plus considérables n'ont souvent été données qu'au prix qu'on exige de vous. Écoutez, vous m'avez inspiré de l'amitié et de la confiance ; je vous avouerai que, si j'avais été aussi difficile que vous l'êtes, mon mari ne jouirait pas du petit poste qui le fait vivre ; il le sait, et loin d'en être fâché, il voit en moi sa bienfaitrice, et il se regarde comme ma créature[1]. Pensez-vous que tous ceux qui ont été à la tête des provinces, ou même des armées, aient dû leurs honneurs et leur fortune à leurs seuls services ? Il en est qui en sont redevables à mesdames leurs femmes. Les dignités de la guerre ont été sollicitées par l'amour ; et la place a été donnée au mari de la plus belle.

« Vous êtes dans une situation bien plus intéressante : il s'agit de rendre votre amant au jour[2] et de l'épouser ; c'est un devoir sacré qu'il vous faut remplir. On n'a point blâmé les belles et les grandes dames dont je vous parle ; on vous applaudira, on dira que vous ne vous êtes permis une faiblesse que par un excès de vertu.

---

1. **Créature :** personne qui doit sa fortune à quelqu'un d'autre.
2. **Rendre votre amant au jour :** lui faire recouvrer la liberté.

— Ah ! quelle vertu ! s'écria la belle Saint-Yves ; quel labyrinthe d'iniquités[1] ! quel pays ! et que j'apprends à connaître les hommes ! Un père de La Chaise et un bailli ridicule font mettre mon amant en prison ; ma famille me persécute ; on ne me tend la main dans mon désastre que pour me déshonorer. Un jésuite a perdu un brave homme, un autre jésuite veut me perdre ; je ne suis entourée que de pièges, et je touche au moment de tomber dans la misère[2] ! Il faut que je me tue ou que je parle au roi ; je me jetterai à ses pieds sur son passage, quand il ira à la messe ou à la comédie.

— On ne vous laissera pas approcher, lui dit sa bonne amie ; et, si vous aviez le malheur de parler, mons de Louvois et le révérend père de La Chaise pourraient vous enterrer dans le fond d'un couvent pour le reste de vos jours. »

Tandis que cette brave personne augmentait ainsi les perplexités de cette âme désespérée et enfonçait le poignard dans son cœur, arrive un exprès de M. de Saint-Pouange avec une lettre et deux beaux pendants d'oreilles. Saint-Yves rejeta le tout en pleurant, mais l'amie s'en chargea.

Dès que le messager fut parti, notre confidente lit la lettre dans laquelle on propose un petit souper aux deux amies pour le soir. Saint-Yves jure qu'elle n'ira point. La dévote veut lui essayer les deux boucles de diamants ; Saint-Yves ne le put souffrir, elle combattit la journée entière. Enfin, n'ayant en vue que son amant, vaincue, entraînée, ne sachant où on la mène, elle se laisse conduire au souper fatal. Rien n'avait pu la déterminer à se parer de ses pendants d'oreilles ; la confidente les apporta, elle les lui ajusta malgré elle avant qu'on se mît à table. Saint-Yves était si confuse, si troublée, qu'elle se laissait tourmenter ;

---

1. **Iniquité :** injustice.
2. **Misère :** au sens moral, malheur.

et le patron[1] en tirait un augure[2] très favorable. Vers la fin du repas, la confidente se retira discrètement. Le patron montra alors la révocation de la lettre de cachet, le brevet[3] d'une gratification considérable, celui d'une compagnie, et n'épargna pas les promesses. « Ah ! lui dit Saint-Yves, que je vous aimerais si vous ne vouliez pas être tant aimé ! »

Enfin, après une longue résistance, après des sanglots, des cris, des larmes, affaiblie du combat, éperdue, languissante, il fallut se rendre. Elle n'eut d'autre ressource que de se promettre de ne penser qu'à l'Ingénu tandis que le cruel jouirait impitoyablement de la nécessité où elle était réduite.

---

1. **Le patron :** le maître, ici Saint-Pouange.
2. **Augure :** présage.
3. **Brevet :** document officiel qui atteste un don (la *gratification*) ou une nomination (à la tête d'une *compagnie*).

Clefs d'analyse

Chapitres XIII à XVII.

Compréhension

Une nouvelle intrigue

- Observer le glissement narratif qui nous conduit à abandonner l'Ingénu au profit de la compagnie bretonne et de Mlle de Saint-Yves. Remarquer toutefois le retour au héros (chap. XIV).

La métamorphose des personnages

- Chercher, au chapitre XIII, les détails qui révèlent l'émancipation de Mlle de Saint-Yves.
- Approfondir l'observation, aux chapitres XV, XVI et XVII.
- Observer les étapes de l'évolution de Gordon au chapitre XIV.

Nouveaux acteurs

- Définir les caractères et les fonctions des nouveaux personnages : le jésuite, l'amie dévote, M. de Saint-Pouange.

Réflexion

L'attaque contre les jésuites

- Étudier les reproches adressés aux jésuites : collusion avec le pouvoir, trahison de leur mission, hypocrisie...
- Analyser, au chapitre XVI, l'argumentation du confesseur jésuite : conduite du discours, effets rhétoriques, souci d'atténuation, recours à un exemple à valeur de parabole, etc.

Les infortunes de la vertu

- Analyser le dilemme de Mlle de Saint-Yves.
- Expliquer l'introduction de ce thème dans le roman.
- Justifier le mélange de pathétique et de comique.

À retenir :

L'emprisonnement de l'Ingénu provoque un déplacement narratif et un recentrage psychologique (la Saint-Yves lui vole la vedette). Même si le chapitre XIV vient, bizarrement à cet endroit, nous ramener au héros. Voltaire choisit de privilégier le climat romanesque et même libertin en s'attardant sur une jeune fille pure, aventurière malgré elle, confrontée au chantage d'un puissant.

CHAPITRE XVIII
Elle délivre son amant et un janséniste

Au point du jour elle vole à Paris, munie de l'ordre du ministre. Il est difficile de peindre ce qui se passait dans son cœur pendant ce voyage. Qu'on imagine une âme vertueuse et noble, humiliée de son opprobre[1], enivrée de tendresse, déchirée des remords d'avoir trahi son amant, pénétrée du plaisir de délivrer ce qu'elle adore. Ses amertumes, ses combats, son succès partageaient toutes ses réflexions. Ce n'était plus cette fille simple dont une éducation provinciale avait rétréci les idées. L'amour et le malheur l'avaient formée. Le sentiment avait fait autant de progrès en elle que la raison en avait fait dans l'esprit de son amant infortuné. Les filles apprennent à sentir plus aisément que les hommes n'apprennent à penser. Son aventure était plus instructive que quatre ans de couvent.

Son habit était d'une simplicité extrême. Elle voyait avec horreur les ajustements sous lesquels elle avait paru devant son funeste bienfaiteur ; elle avait laissé ses boucles de diamants à sa compagne sans même les regarder. Confuse et charmée, idolâtre de l'Ingénu et se haïssant elle-même, elle arrive enfin à la porte.

De cet affreux château, palais de la vengeance,
Qui renferma souvent le crime et l'innocence[2].

---

1. **Opprobre** : acte honteux.
2. « **De cet affreux château… innocence** » : vers de la *Henriade*, poème épique de Voltaire, chant IV.

Quand il fallut descendre du carrosse, les forces lui manquèrent ; on l'aida ; elle entra, le cœur palpitant, les yeux humides, le front consterné. On la présente au gouverneur ; elle veut lui parler, sa voix expire ; elle montre son ordre en articulant à peine quelques paroles. Le gouverneur aimait son prisonnier ; il fut très aise de sa délivrance. Son cœur n'était pas endurci comme celui de quelques honorables geôliers ses confrères, qui, ne pensant qu'à la rétribution attachée à la garde de leurs captifs, fondant leurs revenus sur leurs victimes, et vivant du malheur d'autrui, se faisaient en secret une joie affreuse des larmes des infortunés.

Il fait venir le prisonnier dans son appartement. Les deux amants se voient, et tous deux s'évanouissent. La belle Saint-Yves resta longtemps sans mouvement et sans vie : l'autre rappela bientôt son courage[1]. « C'est apparemment là madame votre femme, lui dit le gouverneur ; vous ne m'aviez point dit que vous fussiez marié. On me mande[2] que c'est à ses soins généreux que vous devez votre délivrance. – Ah ! je ne suis pas digne d'être sa femme », dit la belle Saint-Yves d'une voix tremblante, et elle retomba encore en faiblesse.

Quand elle eut repris ses sens, elle présenta, toujours tremblante, le brevet de la gratification et la promesse par écrit d'une compagnie. L'Ingénu, aussi étonné[3] qu'attendri, s'éveillait d'un songe pour retomber dans un autre. « Pourquoi ai-je été renfermé ici ? comment avez-vous pu m'en tirer ? où sont les monstres qui m'y ont plongé ? Vous êtes une divinité qui descendez du ciel à mon secours. »

La belle Saint-Yves baissait la vue, regardait son amant, rougissait, et détournait, le moment d'après, ses yeux

---

1. **Rappeler son courage :** retrouver ses esprits.
2. **On me mande :** on me fait savoir.
3. **Étonné :** frappé de stupeur (sens étymologique).

55 mouillés de pleurs. Elle lui apprit enfin tout ce qu'elle
savait et tout ce qu'elle avait éprouvé, excepté ce qu'elle
aurait voulu se cacher pour jamais, et ce qu'un autre que
l'Ingénu, plus accoutumé au monde et plus instruit des
usages de la cour, aurait deviné facilement.

60   « Est-il possible qu'un misérable comme ce bailli ait eu
le pouvoir de me ravir ma liberté ? Ah ! je vois bien qu'il
en est des hommes comme des plus vils animaux ; tous
peuvent nuire. Mais est-il possible qu'un moine, un jésuite
confesseur du roi, ait contribué à mon infortune autant
65 que ce bailli, sans que je puisse imaginer sous quel prétexte ce détestable fripon m'a persécuté ? M'a-t-il fait passer pour un janséniste ? Enfin, comment vous êtes-vous
souvenue de moi ? Je ne le méritais pas, je n'étais alors
qu'un sauvage. Quoi ! vous avez pu, sans conseil, sans
70 secours, entreprendre le voyage de Versailles ! Vous y avez
paru, et on a brisé mes fers ! Il est donc dans la beauté et
dans la vertu un charme invincible qui fait tomber les portes de fer et qui amollit les cœurs de bronze ! »

À ce mot de *vertu,* des sanglots échappèrent à la belle
75 Saint-Yves. Elle ne savait pas combien elle était vertueuse
dans le crime qu'elle se reprochait.

Son amant continua ainsi : « Ange qui avez rompu mes
liens, si vous avez eu (ce que je ne comprends pas encore)
assez de crédit pour me faire rendre justice, faites-la donc
80 rendre aussi à un vieillard qui m'a le premier appris à penser, comme vous m'avez appris à aimer. La calamité nous a
unis ; je l'aime comme un père, je ne peux vivre ni sans
vous ni sans lui.

— Moi ! que je sollicite le même homme qui... ! – Oui, je
85 veux tout vous devoir, et je ne veux devoir jamais rien
qu'à vous : écrivez à cet homme puissant, comblez-moi de
vos bienfaits, achevez ce que vous avez commencé, achevez vos prodiges. » Elle sentait qu'elle devait faire tout ce
que son amant exigeait. Elle voulut écrire, sa main ne pou-
90 vait obéir. Elle recommença trois fois sa lettre, la déchira

trois fois ; elle écrivit enfin, et les deux amants sortirent après avoir embrassé le vieux martyr de la grâce efficace.

L'heureuse et désolée Saint-Yves savait dans quelle maison logeait son frère ; elle y alla ; son amant prit un appartement dans la même maison.

À peine y furent-ils arrivés que son protecteur lui envoya l'ordre de l'élargissement[1] du bonhomme Gordon, et lui demanda un rendez-vous pour le lendemain. Ainsi, à chaque action honnête et généreuse qu'elle faisait, son déshonneur en était le prix. Elle regardait avec exécration cet usage de vendre le malheur et le bonheur des hommes. Elle donna l'ordre de l'élargissement à son amant, et refusa le rendez-vous d'un bienfaiteur qu'elle ne pouvait plus voir sans expirer de douleur et de honte. L'Ingénu ne pouvait se séparer d'elle que pour aller délivrer un ami. Il y vola. Il remplit ce devoir en réfléchissant sur les étranges événements de ce monde, et en admirant la vertu courageuse d'une jeune fille à qui deux infortunés devaient plus que la vie.

1. **Élargissement :** mise en liberté.

CHAPITRE XIX
L'Ingénu, la belle Saint-Yves et leurs parents sont rassemblés

LA GÉNÉREUSE et respectable infidèle était avec son frère l'abbé de Saint-Yves, le bon prieur de la Montagne et la dame de Kerkabon. Tous étaient également étonnés, mais leurs situations et leurs sentiments étaient bien différents. L'abbé de Saint-Yves pleurait ses torts aux pieds de sa sœur, qui lui pardonnait. Le prieur et sa tendre sœur pleuraient aussi, mais de joie. Le vilain bailli et son insupportable fils ne troublaient point cette scène touchante : ils étaient partis au premier bruit de l'élargissement de leur ennemi ; ils couraient ensevelir dans leur province leur sottise et leur crainte.

Les quatre personnages, agités de cent mouvements divers, attendaient que le jeune homme revînt avec l'ami qu'il devait délivrer. L'abbé de Saint-Yves n'osait lever les yeux devant sa sœur ; la bonne Kerkabon disait : « Je reverrai donc mon cher neveu. – Vous le reverrez, dit la charmante Saint-Yves, mais ce n'est plus le même homme ; son maintien, son ton, ses idées, son esprit, tout est changé ; il est devenu aussi respectable qu'il était naïf et étranger à tout. Il sera l'honneur et la consolation de votre famille ; que ne puis-je être aussi l'honneur de la mienne ! – Vous n'êtes point non plus la même, dit le prieur, que vous est-il donc arrivé qui ait fait en vous un si grand changement ? »

Au milieu de cette conversation, l'Ingénu arrive, tenant par la main son janséniste. La scène alors devint plus neuve[1] et plus intéressante[2]. Elle commença par les tendres embrassements de l'oncle et de la tante. L'abbé de Saint-Yves se mettait presque aux genoux de l'Ingénu, qui n'était plus l'*ingénu*. Les deux amants se parlaient par des regards qui exprimaient tous les sentiments dont ils étaient pénétrés. On voyait éclater la satisfaction, la reconnaissance, sur le front de l'un ; l'embarras était peint dans les yeux tendres et un peu égarés de l'autre. On était étonné qu'elle mêlât de la douleur à tant de joie.

Le vieux Gordon devint en peu de moments cher à toute la famille. Il avait été malheureux avec le jeune prisonnier, et c'était un grand titre. Il devait sa délivrance aux deux amants, cela seul le réconciliait avec l'amour ; l'âpreté[3] de ses anciennes opinions sortait de son cœur ; il était changé en homme, ainsi que le Huron. Chacun raconta ses aventures avant le souper. Les deux abbés, la tante, écoutaient comme des enfants qui entendent des histoires de revenants, et comme des hommes qui s'intéressaient tous à tant de désastres. « Hélas ! dit Gordon, il y a peut-être plus de cinq cents personnes vertueuses qui sont à présent dans les mêmes fers que Mlle de Saint-Yves a brisés : leurs malheurs sont inconnus. On trouve assez de mains qui frappent sur la foule des malheureux, et rarement une secourable. » Cette réflexion si vraie augmentait sa sensibilité et sa reconnaissance ; tout redoublait le triomphe de la belle Saint-Yves ; on admirait la grandeur et la fermeté de son âme. L'admiration était mêlée de ce respect qu'on sent malgré soi pour une personne qu'on croit avoir du crédit à la cour. Mais l'abbé de Saint-Yves disait quelquefois : « Comment ma sœur a-t-elle pu faire pour obtenir sitôt ce crédit ? »

---

1. **Neuve :** étonnante.
2. **Intéressante :** émouvante.
3. **L'âpreté :** la violence, la dureté.

Chapitre XIX

On allait se mettre à table de très bonne heure. Voilà que la bonne amie de Versailles arrive sans rien savoir de tout ce qui s'était passé ; elle était en carrosse à six chevaux, et on voit bien à qui appartenait l'équipage. Elle entre avec l'air imposant d'une personne de cour qui a de grandes affaires, salue très légèrement la compagnie, et, tirant la belle Saint-Yves à l'écart : « Pourquoi vous faire tant attendre ? Suivez-moi ; voilà vos diamants que vous aviez oubliés. » Elle ne put dire ces paroles si bas que l'Ingénu ne les entendît ; il vit les diamants ; le frère fut interdit ; l'oncle et la tante n'éprouvèrent qu'une surprise de bonnes gens qui n'avaient jamais vu une telle magnificence. Le jeune homme, qui s'était formé par un an de réflexions, en fit malgré lui, et parut troublé un moment. Son amante s'en aperçut ; une pâleur mortelle se répandit sur son beau visage, un frisson la saisit, elle se soutenait à peine. « Ah ! madame, dit-elle à la fatale[1] amie, vous m'avez perdue ! vous me donnez la mort ! » Ces paroles percèrent le cœur de l'Ingénu ; mais il avait déjà appris à se posséder[2] ; il ne les releva point, de peur d'inquiéter sa maîtresse devant son frère ; mais il pâlit comme elle.

Saint-Yves, éperdue de l'altération[3] qu'elle apercevait sur le visage de son amant, entraîne cette femme hors de la chambre dans un petit passage, jette les diamants à terre devant elle : « Ah ! ce ne sont pas eux qui m'ont séduite, vous le savez ; mais celui qui les a donnés ne me reverra jamais. » L'amie les ramassait et Saint-Yves ajoutait : « Qu'il les reprenne ou qu'il vous les donne ; allez, ne me rendez plus honteuse de moi-même. » L'ambassadrice enfin s'en retourna, ne pouvant comprendre les remords dont elle était témoin.

---

1. **Fatale :** parce qu'elle est à l'origine de faits tragiques.
2. **Se posséder :** se contrôler, se maîtriser.
3. **Altération :** changement.

La belle Saint-Yves, oppressée, éprouvant dans son corps une révolution[1] qui la suffoquait, fut obligée de se mettre au lit ; mais pour n'alarmer personne elle ne parla point de ce qu'elle souffrait, et, ne prétextant que sa lassitude, elle demanda la permission de prendre du repos ; mais ce fut après avoir rassuré la compagnie par des paroles consolantes et flatteuses, et jeté sur son amant des regards qui portaient le feu dans son âme.

Le souper, qu'elle n'animait pas, fut triste dans le commencement, mais de cette tristesse intéressante qui fournit des conversations attachantes et utiles, si supérieures à la frivole joie qu'on recherche, et qui n'est d'ordinaire qu'un bruit importun.

Gordon fit en peu de mots l'histoire du jansénisme et du molinisme[2], des persécutions dont un parti accablait l'autre, et de l'opiniâtreté de tous les deux. L'Ingénu en fit la critique, et plaignit les hommes qui, non contents de tant de discordes que leurs intérêts allument, se font de nouveaux maux pour des intérêts chimériques, et pour des absurdités inintelligibles. Gordon racontait, l'autre jugeait ; les convives écoutaient avec émotion et s'éclairaient d'une lumière nouvelle. On parla de la longueur de nos infortunes et de la brièveté de la vie. On remarqua que chaque profession a un vice et un danger qui lui sont attachés, et que, depuis le prince jusqu'au dernier des mendiants, tout semble accuser la nature. Comment se trouve-t-il tant d'hommes qui, pour si peu d'argent, se font les persécuteurs, les satellites[3], les bourreaux des autres hommes ? Avec quelle indifférence inhumaine un homme en place signe la destruction d'une famille, et avec quelle joie plus barbare des mercenaires l'exécutent !

---

1. **Révolution :** agitation.
2. **Molinisme :** doctrine du jésuite espagnol Molina. Elle est opposée au jansénisme.
3. **Les satellites :** les auxiliaires, les exécutants.

« J'ai vu dans ma jeunesse, dit le bonhomme Gordon, un parent du maréchal de Marillac[1], qui, étant poursuivi dans sa province pour la cause de cet illustre malheureux, se cachait dans Paris sous un nom supposé. C'était un vieillard de soixante et douze ans. Sa femme, qui l'accompagnait, était à peu près de son âge. Ils avaient eu un fils libertin[2] qui, à l'âge de quatorze ans, s'était enfui de la maison paternelle ; devenu soldat, puis déserteur, il avait passé par tous les degrés de la débauche et de la misère ; enfin, ayant pris un nom de terre[3], il était dans les gardes du cardinal de Richelieu[4] (car ce prêtre, ainsi que Mazarin[5], avait des gardes) ; il avait obtenu un bâton d'exempt[6] dans cette compagnie de satellites. Cet aventurier fut chargé d'arrêter le vieillard et son épouse, et s'en acquitta avec toute la dureté d'un homme qui voulait plaire à son maître. Comme il les conduisait, il entendit ces deux victimes déplorer la longue suite des malheurs qu'elles avaient éprouvés depuis leur berceau. Le père et la mère comptaient parmi leurs plus grandes infortunes les égarements et la perte de leur fils. Il les reconnut ; il ne les conduisit pas moins en prison, en les assurant que Son Éminence devait être servie de préférence à tout. Son Éminence récompensa son zèle.

« J'ai vu un espion du père de La Chaise trahir son propre frère, dans l'espérance d'un petit bénéfice[7] qu'il n'eut point ; et je l'ai vu mourir, non de remords, mais de douleur d'avoir été trompé par le jésuite.

---

1. **Marillac (1563-1632)** : maréchal, ennemi de Richelieu, qui fut décapité.
2. **Libertin** : qui mène une vie de débauche.
3. **Nom de terre** : nom emprunté par les nobles à une terre ou à une propriété.
4. **Richelieu (1585-1642)** : cardinal et ministre de Louis XIII.
5. **Mazarin (1602-1661)** : autre cardinal, d'origine italienne, qui succéda à Richelieu.
6. **Exempt** : officier de police dont l'insigne est un bâton.
7. **Bénéfice** : revenu procuré par une charge ecclésiastique.

« L'emploi de confesseur, que j'ai longtemps exercé, m'a [145]
fait connaître l'intérieur des familles ; je n'en ai guère vu
qui ne fussent plongées dans l'amertume, tandis qu'au
dehors couvertes du masque du bonheur elles paraissaient nager dans la joie, et j'ai toujours remarqué que les
grands chagrins étaient le fruit de notre cupidité effrénée. [150]

– Pour moi, dit l'Ingénu, je pense qu'une âme noble,
reconnaissante et sensible peut vivre heureuse ; et je
compte bien jouir d'une félicité[1] sans mélange avec la
belle et généreuse Saint-Yves. Car je me flatte, ajouta-t-il,
en s'adressant à son frère avec le sourire de l'amitié, que [155]
vous ne me refuserez pas, comme l'année passée, et que je
m'y prendrai d'un manière plus décente. » L'abbé se
confondit en excuses du passé et en protestations d'un
attachement éternel.

L'oncle Kerkabon dit que ce serait le plus beau jour de [160]
sa vie. La bonne tante, en s'extasiant et en pleurant de joie,
s'écriait : « Je vous l'avais bien dit que vous ne seriez
jamais sous-diacre ; ce sacrement-ci vaut mieux que l'autre,
plût à Dieu que j'en eusse été honorée ! mais je vous ser-
virai de mère. » Alors ce fut à qui renchérirait sur les [165]
louanges de la tendre Saint-Yves.

Son amant avait le cœur trop plein de ce qu'elle avait
fait pour lui, il l'aimait trop pour que l'aventure des diamants eût fait sur son cœur une impression dominante.
Mais ces mots qu'il avait trop entendus : *vous me donnez* [170]
la mort, l'effrayaient encore en secret et corrompaient
toute sa joie, tandis que les éloges de sa belle maîtresse
augmentaient encore son amour. Enfin on n'était plus
occupé que d'elle ; on ne parlait que du bonheur que ces
deux amants méritaient ; on s'arrangeait pour vivre tous [175]
ensemble dans Paris, on faisait des projets de fortune et
d'agrandissement, on se livrait à toutes ces espérances que

---

1. **Félicité :** bonheur.

la moindre lueur de félicité fait naître si aisément. Mais l'Ingénu, dans le fond de son cœur, éprouvait un senti-
180 ment secret qui repoussait cette illusion. Il relisait ces promesses signées Saint-Pouange, et les brevets signés Louvois ; on lui dépeignit ces deux hommes tels qu'ils étaient, ou qu'on les croyait être. Chacun parla des ministres et du ministère avec cette liberté de table regardée en
185 France comme la plus précieuse liberté qu'on puisse goûter sur la terre.

« Si j'étais roi de France, dit l'Ingénu, voici le ministre de la guerre[1] que je choisirais : je voudrais un homme de la plus haute naissance, par la raison qu'il donne des ordres
190 à la noblesse. J'exigerais qu'il eût été lui même officier, qu'il eût passé par tous les grades, qu'il fût au moins lieutenant général des armées, et digne d'être maréchal de France ; car n'est il pas nécessaire qu'il ait servi lui-même pour mieux connaître les détails du service ? et les offi-
195 ciers n'obéiront-ils pas avec cent fois plus d'allégresse à un homme de guerre qui aura comme eux signalé son courage qu'à un homme de cabinet qui ne peut que deviner tout au plus les opérations d'une campagne, quelque esprit qu'il puisse avoir ? je ne serais pas fâché que mon
200 ministre fût généreux, quoique mon garde du trésor royal en fût quelquefois un peu embarrassé. J'aimerais qu'il eût un travail facile, et que même il se distinguât par cette gaieté d'esprit, partage d'un homme supérieur aux affaires, qui plaît tant à la nation et qui rend tous les devoirs moins
205 pénibles. » Il désirait que ce ministre eût ce caractère parce qu'il avait toujours remarqué que cette belle humeur est incompatible avec la cruauté.

Mons de Louvois n'aurait peut-être pas été satisfait des souhaits de l'Ingénu : il avait une autre sorte de mérite.

---

1. **Ministre de la Guerre :** à Louvois, ministre de la Guerre de Louis XIV qu'il n'aimait pas, Voltaire oppose Choiseul, ministre de Louis XV qu'il apprécie.

Mais, pendant qu'on était à table, la maladie de cette 210
fille malheureuse prenait un caractère funeste ; son sang
s'était allumé, une fièvre dévorante s'était déclarée, elle
souffrait, et ne se plaignait point, attentive à ne pas trou-
bler la joie des convives.

Son frère, sachant qu'elle ne dormait pas, alla au chevet 215
de son lit ; il fut surpris de l'état où elle était. Tout le
monde accourut ; l'amant se présentait à la suite du frère.
Il était sans doute le plus alarmé et le plus attendri de
tous ; mais il avait appris à joindre la discrétion à tous les
dons heureux que la nature lui avait prodigués, et le senti- 220
ment prompt des bienséances commençait à dominer
dans lui.

On fit venir aussitôt un médecin du voisinage. C'était
un de ceux qui visitent leurs malades en courant, qui
confondent la maladie qu'ils viennent de voir avec celle 225
qu'ils voient, qui mettent une pratique aveugle dans une
science à laquelle toute la maturité d'un discernement
sain et réfléchi ne peut ôter son incertitude et ses dangers.
Il redoubla le mal par sa précipitation à prescrire un
remède alors à la mode. De la mode jusque dans la méde- 230
cine ! Cette manie était trop commune dans Paris.

La triste Saint-Yves contribuait encore plus que son
médecin à rendre sa maladie dangereuse. Son âme tuait
son corps. La foule des pensées qui l'agitaient portait dans
ses veines un poison plus dangereux que celui de la fièvre 235
la plus brûlante.

CHAPITRE XX
La belle Saint-Yves meurt, et ce qui en arrive

ON APPELA un autre médecin : celui-ci, au lieu d'aider la nature et de la laisser agir dans une jeune personne dans qui tous les organes rappelaient la vie[1], ne fut occupé que de contrecarrer son confrère. La maladie devint mortelle
5 en deux jours. Le cerveau, qu'on croit le siège de l'entendement, fut attaqué aussi violemment que le cœur, qui est, dit-on, le siège des passions.

Quelle mécanique incompréhensible a soumis les organes au sentiment et à la pensée ? comment une seule idée
10 douloureuse dérange-t-elle le cours du sang, et comment le sang à son tour porte-t-il ses irrégularités dans l'entendement humain ? quel est ce fluide inconnu et dont l'existence est certaine, qui, plus prompt, plus actif que la lumière, vole en moins d'un clin d'œil dans tous les
15 canaux de la vie, produit les sensations, la mémoire, la tristesse ou la joie, la raison ou le vertige, rappelle avec horreur ce qu'on voudrait oublier, et fait d'un animal pensant, ou un objet d'admiration, ou un sujet de pitié et de larmes ?
20 C'était là ce que disait le bon Gordon ; et cette réflexion si naturelle, que rarement font les hommes, ne dérobait rien à son attendrissement ; car il n'était pas de ces mal-

---

1. **Rappeler la vie :** aider à reprendre vie.

heureux philosophes qui s'efforcent d'être insensibles. Il était touché du sort de cette jeune fille, comme un père qui voit mourir lentement son enfant chéri. L'abbé de Saint-Yves était désespéré, le prieur et sa sœur répandaient des ruisseaux de larmes. Mais qui pourrait peindre l'état de son amant ? Nulle langue n'a des expressions qui répondent à ce comble des douleurs ; les langues sont trop imparfaites.

La tante, presque sans vie, tenait la tête de la mourante dans ses faibles bras, son frère était à genoux au pied du lit. Son amant pressait sa main, qu'il baignait de pleurs, et éclatait en sanglots ; il la nommait sa bienfaitrice, son espérance, sa vie, la moitié de lui-même, sa maîtresse, son épouse. À ce mot d'*épouse*, elle soupira, le regarda avec une tendresse inexprimable, et soudain jeta un cri d'horreur ; puis, dans un de ces intervalles où l'accablement et l'oppression des sens, et les souffrances suspendues laissent à l'âme sa liberté et sa force, elle s'écria : « Moi, votre épouse ! Ah ! cher amant, ce nom, ce bonheur, ce prix, n'étaient plus faits pour moi ; je meurs, et je le mérite. Ô dieu de mon cœur ! ô vous que j'ai sacrifié à des démons infernaux, c'en est fait, je suis punie, vivez heureux. » Ces paroles tendres et terribles ne pouvaient être comprises ; mais elles portaient dans tous les cœurs l'effroi et l'attendrissement ; elle eut le courage de s'expliquer. Chaque mot fit frémir d'étonnement, de douleur et de pitié tous les assistants. Tous se réunissaient à détester l'homme puissant qui n'avait réparé une horrible injustice que par un crime, et qui avait forcé la plus respectable innocence à être sa complice.

« Qui ? vous, coupable ! lui dit son amant ; non, vous ne l'êtes pas ; le crime ne peut être que dans le cœur, le vôtre est à la vertu et à moi. »

Il confirmait ce sentiment par des paroles qui semblaient ramener à la vie la belle Saint-Yves. Elle se sentit consolée, et s'étonnait d'être aimée encore. Le vieux

Gordon l'aurait condamnée dans le temps qu'il n'était que
60 janséniste ; mais étant devenu sage, il l'estimait et il pleurait.

Au milieu de tant de larmes et de craintes, pendant que
le danger de cette fille si chère remplissait tous les cœurs,
que tout était consterné, on annonce un courrier de la
cour. Un courrier ! et de qui ? et pourquoi ? C'était de la
65 part du confesseur du roi pour le prieur de la Montagne ;
ce n'était pas le père de La Chaise qui écrivait, c'était le
frère Vadbled[1], son valet de chambre, homme très important dans ce temps-là, lui qui mandait aux archevêques les
volontés du révérend père, lui qui donnait audience, lui
70 qui promettait des bénéfices, lui qui faisait quelquefois
expédier des lettres de cachet. Il écrivait à l'abbé de la
Montagne *que sa Révérence était informée des aventures de
son neveu, que sa prison n'était qu'une méprise, que ces petites
disgrâces arrivaient fréquemment, qu'il ne fallait pas y faire
75 attention, et qu'enfin il convenait que lui prieur vînt lui pré-
senter son neveu le lendemain, qu'il devait amener avec lui
le bonhomme Gordon, que lui frère Vadbled les introduirait
chez Sa Révérence et chez mons de Louvois, lequel leur dirait
un mot dans son antichambre.*

80 Il ajoutait que l'histoire de l'Ingénu et son combat
contre les Anglais avaient été contés au roi, que sûrement
le roi daignerait le remarquer quand il passerait dans la
galerie[2], et peut-être même lui ferait un signe de tête. La
lettre finissait par l'espérance dont on le flattait que toutes
85 les dames de la cour s'empresseraient de faire venir son
neveu à leurs toilettes[3], que plusieurs d'entre elles lui
diraient : « Bonjour, monsieur l'Ingénu » ; et qu'assurément

---

1. **Vadbled (ou Vatebled) :** personnage réel, jésuite proche du père de La Chaise.
2. **Galerie :** la galerie des Glaces, à Versailles, où le roi aimait à se montrer et à recevoir des lettres de sollicitation.
3. **Toilettes :** moment où les dames finissent leur toilette et ajustent leur coiffure.

il serait question de lui au souper du roi. La lettre était signée : *Votre affectionné Vadbled, frère jésuite.*

Le prieur ayant lu la lettre tout haut, son neveu, furieux, et commandant un moment à sa colère, ne dit rien au porteur ; mais, se tournant vers le compagnon de ses infortunes, il lui demanda ce qu'il pensait de ce style. Gordon lui répondit : « C'est donc ainsi qu'on traite les hommes comme des singes ! On les bat et on les fait danser. » L'Ingénu, reprenant son caractère, qui revient toujours dans les grands mouvements de l'âme, déchira la lettre par morceaux et les jeta au nez du courrier : « Voilà ma réponse. » Son oncle, épouvanté, crut voir le tonnerre et vingt lettres de cachet tomber sur lui. Il alla vite écrire et excuser, comme il put, ce qu'il prenait pour l'emportement d'un jeune homme, et qui était la saillie[1] d'une grande âme.

Mais des soins plus douloureux s'emparaient de tous les cœurs. La belle et infortunée Saint-Yves sentait déjà sa fin approcher ; elle était dans le calme, mais dans ce calme affreux de la nature affaissée qui n'a plus la force de combattre. « Ô mon cher amant ! dit-elle d'une voix tombante, la mort me punit de ma faiblesse ; mais j'expire avec la consolation de vous savoir libre. Je vous ai adoré en vous trahissant, et je vous adore en vous disant un éternel adieu. »

Elle ne se parait pas d'une vaine fermeté ; elle ne concevait pas cette misérable gloire de faire dire à quelques voisins : « Elle est morte avec courage. » Qui peut perdre à vingt ans son amant, sa vie, et ce qu'on appelle l'*honneur,* sans regrets et sans déchirements ? Elle sentait toute l'horreur de son état, et le faisait sentir par ces mots et par ces regards mourants qui parlent avec tant d'empire. Enfin elle pleurait comme les autres dans les moments où elle eut la force de pleurer.

---

1. **Saillie :** manifestation naturelle, élan.

Chapitre XX

Que d'autres cherchent à louer les morts fastueuses de ceux qui entrent dans la destruction avec insensibilité : c'est le sort de tous les animaux. Nous ne mourons comme eux avec indifférence que quand l'âge ou la mala-
125 die nous rend semblables à eux par la stupidité de nos organes. Quiconque fait une grande perte a de grands regrets ; s'il les étouffe, c'est qu'il porte la vanité jusque dans les bras de la mort.

Lorsque le moment fatal fut arrivé, tous les assistants
130 jetèrent des larmes et des cris. L'Ingénu perdit l'usage de ses sens. Les âmes fortes ont des sentiments bien plus vio-lents que les autres quand elles sont tendres. Le bon Gordon le connaissait assez pour craindre qu'étant revenu à lui il ne se donnât la mort. On écarta toutes les armes ;
135 le malheureux jeune homme s'en aperçut ; il dit à ses parents et à Gordon, sans pleurer, sans gémir, sans s'émouvoir : « Pensez-vous donc qu'il y ait quelqu'un sur la terre qui ait le droit et le pouvoir de m'empêcher de finir ma vie ? » Gordon se garda bien de lui étaler ces lieux
140 communs fastidieux par lesquels on essaye de prouver qu'il n'est pas permis d'user de sa liberté pour cesser d'être quand on est horriblement mal, qu'il ne faut pas sortir de sa maison quand on ne peut plus y demeurer, que l'homme est sur la terre comme un soldat à son poste :
145 comme s'il importait à l'Être des êtres que l'assemblage de quelques parties de matière fût dans un lieu ou dans un autre ; raisons impuissantes qu'un désespoir ferme et réfléchi dédaigne d'écouter, et auxquelles Caton[1] ne répondit que par un coup de poignard.
150 Le morne et terrible silence de l'Ingénu, ses yeux sombres, ses lèvres tremblantes, les frémissements de son corps, portaient dans l'âme de tous ceux qui le regardaient ce

---

1. **Caton** : dit Caton d'Utique (95-46 av. J.-C.), homme politique romain qui refusa de se soumettre à César et préféra se suicider.

mélange de compassion et d'effroi qui enchaîne toutes les puissances de l'âme, qui exclut tout discours, et qui ne se manifeste que par des mots entrecoupés. L'hôtesse et sa famille étaient accourues ; on tremblait de son désespoir, on le gardait à vue, on observait tous ses mouvements. Déjà le corps glacé de la belle Saint-Yves avait été porté dans une salle basse, loin des yeux de son amant, qui semblait la chercher encore, quoiqu'il ne fût plus en état de rien voir.

Au milieu de ce spectacle de la mort, tandis que le corps est exposé à la porte de la maison, que deux prêtres à côté d'un bénitier récitent des prières d'un air distrait, que des passants jettent quelques gouttes d'eau bénite sur la bière[1] par oisiveté, que d'autres poursuivent leur chemin avec indifférence, que les parents pleurent et qu'un amant est prêt de s'arracher la vie, le Saint-Pouange arrive avec l'amie de Versailles.

Son goût passager, n'ayant été satisfait qu'une fois, était devenu de l'amour. Le refus de ses bienfaits l'avait piqué. Le père de La Chaise n'aurait jamais pensé à venir dans cette maison ; mais Saint-Pouange, ayant tous les jours devant les yeux l'image de la belle Saint-Yves, brûlant d'assouvir une passion qui par une seule jouissance avait enfoncé dans son cœur l'aiguillon des désirs, ne balança[2] pas à venir lui-même chercher celle qu'il n'aurait pas peut-être voulu revoir trois fois si elle était venue d'elle-même.

Il descend de carrosse ; le premier objet qui se présente à lui est une bière ; il détourne les yeux avec ce simple dégoût d'un homme nourri dans les plaisirs, qui pense qu'on doit lui épargner tout spectacle qui pourrait le ramener à la contemplation de la misère humaine. Il veut monter. La femme de Versailles demande par curiosité qui

---

1. **Bière :** cercueil.
2. **Balancer :** hésiter.

185 on va enterrer ; on prononce le nom de Mlle de Saint-Yves.
À ce nom, elle pâlit et pousse un cri affreux ; Saint-
Pouange se retourne ; la surprise et la douleur remplissent
son âme. Le bon Gordon était là, les yeux remplis de larmes.
Il interrompt ses tristes prières pour apprendre à l'homme
190 de cour toute cette horrible catastrophe. Il lui parle avec
cet empire que donnent la douleur et la vertu. Saint-
Pouange n'était point né méchant ; le torrent des affaires
et des amusements avait emporté son âme, qui ne se
connaissait pas encore. Il ne touchait point à la vieillesse,
195 qui endurcit d'ordinaire le cœur des ministres ; il écoutait
Gordon les yeux baissés, et il en essuyait quelques pleurs
qu'il était étonné de répandre : il connut le repentir.

« Je veux voir absolument, dit-il, cet homme extraordinaire dont vous m'avez parlé ; il m'attendrit presque
200 autant que cette innocente victime dont j'ai causé la
mort. » Gordon le suit jusqu'à la chambre où le prieur, la
Kerkabon, l'abbé de Saint-Yves et quelques voisins rappelaient à la vie le jeune homme retombé en défaillance.

« J'ai fait votre malheur, lui dit le sous-ministre ; j'emploie-
205 rai ma vie à le réparer. » La première idée qui vint à
l'Ingénu fut de le tuer et de se tuer lui-même après. Rien
n'était plus à sa place ; mais il était sans armes et veillé de
près. Saint-Pouange ne se rebuta point des refus accompa-
gnés du reproche, du mépris et de l'horreur qu'il avait
210 mérités, et qu'on lui prodigua. Le temps adoucit tout.
Mons de Louvois vint enfin à bout de faire un excellent officier de l'Ingénu, qui a paru sous un autre nom à Paris et dans
les armées, avec l'approbation de tous les honnêtes gens, et
qui a été à la fois un guerrier et un philosophe intrépide.

215 Il ne parlait jamais de cette aventure sans gémir ; et
cependant sa consolation était d'en parler. Il chérit la
mémoire de la tendre Saint-Yves jusqu'au dernier moment
de sa vie. L'abbé de Saint-Yves et le prieur eurent chacun
un bon bénéfice ; la bonne Kerkabon aima mieux voir son
220 neveu dans les honneurs militaires que dans le sous-diaconat.

La dévote de Versailles garda les boucles de diamants, et reçut encore un beau présent. Le père Tout-à-tous eut des boîtes de chocolat, de café, de sucre candi, de citrons confits, avec les *Méditations* du révérend père Croiset[1] et *La Fleur des saints*[2] reliées en maroquin. Le bon Gordon vécut avec l'Ingénu jusqu'à sa mort dans la plus intime amitié ; il eut un bénéfice aussi, et oublia pour jamais la grâce efficace et le concours concomitant[3]. Il prit pour sa devise : *malheur est bon à quelque chose.* Combien d'honnêtes gens dans le monde ont pu dire : *malheur n'est bon à rien* !

---

1. *Méditations* **du révérend père Croiset :** ouvrage d'un jésuite de Marseille publié en 1710.
2. *La Fleur des saints* **:** ouvrage du jésuite espagnol Pedro Ribadeneira, régulièrement traduit en français.
3. **Concours concomitant :** notion janséniste qui désigne la grâce donnée par Dieu pour aider l'homme à bien agir.

Clefs d'analyse

Chapitres XVIII à XX.

Compréhension

Vers le dénouement

- Observer les tentatives pour renouer les fils de l'intrigue (chap. XIX). Relever, dans les trois chapitres, les éléments qui préparent le dénouement, ceux qui le retardent.

La mort de la Saint-Yves (chap. XX)

- Justifier la tonalité dominante de la scène, faite d'un mélange de réalisme et de pathétique. Observer la théâtralité de la scène : les marques de souffrance, l'agonie, les réactions des témoins, les paroles, etc.
- Rapprocher cette peinture de la jeune femme d'autres exemples littéraires (chez Prévost, Rousseau, Chateaubriand, Balzac).

Réflexion

La victoire des femmes ?

- Expliquer cette phrase : « Les filles apprennent à sentir plus aisément que les hommes n'apprennent à penser » (chap. XVIII, l. 12-13).
- Interpréter les raisons pour lesquelles Voltaire choisit de faire mourir son héroïne et s'interroger sur le sens de ce destin : victoire ou défaite ?

La morale de l'histoire

- Analyser la conversion de Saint-Pouange.
- Interpréter l'avenir de l'Ingénu : « guerrier et philosophe ».
- Interpréter la part d'ambiguïté de la morale finale composée de deux maximes contradictoires.

À retenir :

Le sacrifice de la Saint-Yves apparaît comme la condition indispensable au dénouement. En cédant à Saint-Pouange, la jeune fille débloque la situation, mais se hisse en même temps au niveau des personnages de tragédie qui ne peuvent survivre à la honte. Le moment de la mort permet à Voltaire de pasticher une scène de genre de la littérature sentimentale et de trouver une fin édifiante, le héros, au terme de sa formation, comprenant le sens de la vie et la valeur de l'action.

Un épilogue édifiant

Personnages

Comparses et utilités

À côté des deux (ou trois) personnages principaux apparaissent quelques figures secondaires qui servent le projet romanesque et/ou satirique. On pouvait le dire de la compagnie bretonne (les Kerkabon, l'abbé de Saint-Yves, le bailli), on peut le dire encore plus des nouvelles silhouettes qui sont introduites dans la dernière partie du livre. Le confesseur jésuite est une charge des « directeurs » casuistes dont se moquaient déjà Molière et La Bruyère ; Saint-Pouange (facilement identifiable par ses contemporains) représente le grand seigneur libertin, corrompu et méchant (bien qu'amendable) ; la vieille dévote reprend le modèle de l'entremetteuse, indispensable à tout roman sensible. Ces figurants ne sont jamais l'objet d'un portrait fouillé comme peuvent l'être les héros ; ils ressemblent davantage à des ébauches inventées par le narrateur pour le besoin de son récit et surtout de sa démonstration.

Langage

Émotion et théâtralité

Dans la première partie de son conte, Voltaire, auteur dramatique à succès, tire son récit du côté du théâtre en proposant des scènes spectaculaires comme celle du débarquement de l'Ingénu (chap. I) ou celle de son baptême (chap. III). Dans les derniers chapitres consacrés au sacrifice de Mlle de Saint-Yves, le roman semble vouloir évoluer dans le sens de la sensiblerie à la mode. Pour accentuer les effets, sont présentés divers tableaux plus statiques mais toujours chargés d'émotion et d'expressivité. La scène du chantage de Saint-Pouange s'apparente à une petite comédie (chap. XVII), de même que le coup de théâtre de la « conversion » des méchants au dernier chapitre. La réunion des amants, les retrouvailles avec la famille et surtout l'agonie de la jeune héroïne, sa mort et la douleur de son amant sont traités sur le ton du pathétique. Les belles postures de la souffrance sont conformes à l'esthétique larmoyante défendue par Diderot, illustrée par le peintre Greuze et soulignée ici par des phrases stéréotypées ou des formules édifiantes.

Société

Une philosophie de la vie

La fin du roman est marquée par le repentir des persécuteurs, par la tentation – vite écartée – du suicide, par une distribution de récompenses, enfin par un bilan moral dressé conjointement par Gordon et par l'Ingénu. La Providence n'a aucune part dans ce dénouement qui élimine la généreuse héroïne et réhabilite le méprisable Saint-Pouange. Le monde est incompréhensible et soumis à un hasard absurde. Dans ce « labyrinthe d'iniquités » (chap. XVII), le Huron fait son éducation et finit par se rallier à une philosophie humble et raisonnable, sans illusion sur les vertus humaines. Son choix de carrière scelle son intégration sociale et le place du côté de l'action et de la réflexion. Comme dans *Candide*, comme dans d'autres contes, la conclusion de *l'Ingénu*, qui ne tranche pas entre le bien et le mal, entre optimisme et pessimisme, peut paraître ambiguë et décevante. Voltaire l'a sans doute voulue ainsi : à l'image de la vie.

POUR
APPROFONDIR

Genre, action, personnages

Genre et registres
Un conte philosophique

Comme on le ferait pour *Candide*, on doit se poser la question de savoir si *L'Ingénu* doit être considéré comme un conte ou comme un roman. Voltaire lui-même n'a pas tranché, et, quand on réunit l'ensemble de ses textes narratifs, on range l'ouvrage dans « Romans et contes ». Car son temps est moins fixé que le nôtre sur les différences génériques. Le *Dictionnaire de l'Académie* (1694) définit le conte ainsi : « narration, récit de quelque aventure, soit vécue, soit fabuleuse, soit sérieuse, soit plaisante ». Définition qui s'appliquerait aussi bien au roman.

Par bien des aspects, *L'Ingénu* s'apparente au conte : la bénédiction bouffonne de la Montagne par saint Dunstan aux premières lignes, les personnages qui, pour la plupart, appartiennent au registre du symbolique ou de la caricature (le « bon sauvage », la jeune fille vertueuse, le prêtre rigide, la dévote, le ministre vénal...), certains événements peu vraisemblables (les retrouvailles du début, le combat contre les Anglais au chapitre VII, la métamorphose de Saint-Pouange...), la fin sur une morale exprimée en forme de devise adoptée par le Huron : « *malheur est bon à quelque chose* ».

Mais ces parentés avec le genre du conte ne permettent pas d'assimiler *l'Ingénu* à ces récits fabuleux, merveilleux ou plaisants qui ont fondé la tradition, comme ceux de Charles Perrault, de Mme d'Aulnoye ou des *Mille et Une Nuits* traduites par Galland à partir de 1704. Sous la plume de Voltaire, le conte va devenir une œuvre engagée dont la souplesse permet de vulgariser des idées ou d'en contester d'autres, d'intervenir de façon polémique dans des débats sérieux, de brosser un tableau satirique de certains comportements, de personnalités ou d'institutions. Le texte léger et bref s'est mué en arme de combat et va mériter le nom de *conte philosophique*. Les sous-titres de certains récits importants qui ont précédé *L'Ingénu*

Genre, action, personnages

attestent leur intention didactique : *Zadig ou la Destinée ; Micromégas, conte philosophique ; Candide ou l'Optimisme.*

L'Ingénu, bien que ne comportant pas de sous-titre, respecte les principes du conte philosophique dans la mesure où l'histoire se situe dans un temps et un lieu bien déterminés, où les actions sont calquées sur la réalité, où le parti pris d'authenticité privilégie le projet satirique et la dénonciation des abus. Les questions du Huron et ses conversations avec Gordon à la Bastille s'inscrivent délibérément dans le sens d'une vulgarisation philosophique. Ce conte, un des plus tardifs de Voltaire, réussit à combiner harmonieusement le contenu idéologique, la peinture satirique et la fantaisie de la fiction. Ce mélange, assorti de qualités en matière de conduite de la narration et de variété du ton, nous conduit aussi à tirer ce texte du côté du roman.

Le roman sentimental

Du roman, *L'Ingénu* en a d'abord la longueur. Contrairement au conte, récit le plus souvent bref car appartenant à la tradition orale, l'histoire du Huron se déploie sur un nombre de pages respectable, plus d'une centaine, ce qui le rapproche du format de certains petits romans. Mais la parenté avec le genre romanesque est surtout à chercher dans l'intrigue, dans les ressorts dramatiques, dans le choix des personnages.

Le sujet – deux jeunes amants séparés par des lois injustes et des êtres corrompus – appartient au registre du courant romanesque dont le modèle venait d'Angleterre et qu'on nomme souvent le roman sensible. Richardson, célèbre auteur de *Pamela* et de *Clarissa Harlowe*, a mis à la mode des histoires de jeunes filles vertueuses confrontées à des épreuves douloureuses qui les conduiront à la mort. Duclos, l'abbé Prévost exploitent le genre qui connaît en France son apogée avec, en 1761, le seul roman qu'ait écrit Rousseau, roman construit autour d'une héroïne qui meurt à la fin, *La Nouvelle Héloïse*.

L'Ingénu peut se lire comme un roman d'amour issu de la même veine. Les deux jeunes gens éprouvent l'un pour l'autre une passion sincère et profonde marquée par l'attirance physique d'abord, par l'accord des âmes ensuite. Le Huron progressera dans le sens de la courtoisie du soupirant, maîtrisant ses instincts, apprenant même à écrire des vers (chap. V). Mlle de Saint-Yves joue les initiatrices : « la belle Bretonne employa toute la délicatesse de son esprit à réduire son Huron aux termes de la bienséance » (chap. V). Cet amour réciproque qui dépasse les différences perturbe l'équilibre artificiel de la vie sociale, où ce sentiment, contrairement à la logique, ne s'accorde pas au mariage. Le poids des usages et les préjugés, en matière religieuse surtout, vont contrarier la passion des jeunes gens devenus les victimes d'un système hypocrite. Le roman sentimental permet d'opposer à la tyrannie des forces dominantes l'innocence des jeunes amoureux. L'aventure cesse alors d'être un divertissement léger pour ressembler à une tragédie du bonheur impossible.

Cette tendance est perceptible surtout dans la deuxième partie du livre, à partir du chapitre X, quand Mlle de Saint-Yves va prendre l'initiative de l'action et rejoindre, par son destin, la famille des héroïnes touchantes sacrifiées sur l'autel de la méchanceté humaine. Dans *Candide*, le thème des amours contrariées ne constituait qu'un prétexte narratif, l'essentiel étant la découverte du mal par le héros. Ici, à partir de l'emprisonnement de l'Ingénu, le ressort sentimental est premier, comme le prouve la promotion de la jeune Bretonne, qui vole progressivement la vedette au Huron et sur qui se déplace l'éclairage. C'est ce que montre aussi le changement de ton qui s'élève, au moment de la mort de la jeune Bretonne, aux limites du pathétique, selon une métamorphose mentionnée par le texte : « L'amour et le malheur l'avaient formée. » (chap. XVIII).

Le roman de formation

Si la belle Saint-Yves change au cours du livre, l'Ingénu aussi connaît une évolution conforme à une autre tradition romanesque, celle du roman de formation (qu'on appelle encore roman d'apprentissage ou d'éducation). Là encore, le schéma de *Candide* est repris pour être accentué. Le Huron, sauvage du Canada, n'est pas tout à fait un homme au début du livre. Son arrivée sur le Vieux Continent va le plonger dans l'étonnement et le conduire à acquérir progressivement les rudiments essentiels de la civilisation. Il ne s'agit pas ici d'initiation philosophique comme dans *Candide,* où le héros éponyme découvre, au gré de ses voyages, la recette de la sagesse. Il ne s'agit pas non plus d'une éducation sentimentale comme dans le roman libertin de Crébillon *Les Égarements du cœur et de l'esprit* (1736), par exemple, dans lequel le jeune héros est initié à l'amour par une femme expérimentée. L'Ingénu, lui, n'est pas ignorant en matière de sentiment, il n'est pas non plus borné par des *a priori* philosophiques ; il lui faut juste assurer son éducation sociale, gagner en souplesse d'esprit, devenir « policé », ce que divers pédagogues, dont Gordon en particulier, s'emploieront à faire, ce mentor janséniste se chargeant de lui enseigner la mesure et la raison.

Les ruses du polémiste

Ces concessions à la fantaisie narrative – celle du conte ou du roman – ne doivent pas éclipser la portée idéologique de *l'Ingénu,* qui dissimule sa force polémique au moyen de diverses ruses. Ainsi du déplacement temporel, puisque l'auteur a choisi de placer son histoire non dans un présent qui lui permettrait d'aborder les sujets de l'heure, mais dans une période antérieure, précisément datée, le récit commençant, comme il est dit à la première page, le 15 juillet 1689. Ce choix n'est évidemment pas innocent et conduit Voltaire à actualiser la question religieuse à travers deux thèmes, la persécution des protestants (exposée en particulier au chapitre VIII), consécutive à la révocation de l'édit de Nantes en 1685, et le conflit qui oppose les jésuites, représentants de la tradition chrétienne, et les jansénistes, qui militent pour une pratique religieuse plus austère et plus respectueuse des dogmes. Ce moment du récit correspond aussi à l'exercice de la monarchie absolue par Louis XIV, avec le développement des lettres de cachet et une politique militaire et coloniale agressive menée par Louvois, cité dans le roman.

Voltaire connaît bien cette période pour l'avoir décrite dans *Le Siècle de Louis XIV,* publié en 1751 et qu'il reprend l'année de *L'Ingénu* en vue d'une réédition. Mais s'il parvient, épisodiquement, à donner le change, des inexactitudes de dates, des références anachroniques, des mentions d'œuvres ou de personnalités contemporaines montrent que le décalage temporel remplit la fonction d'une simple ruse narrative destinée à égarer la censure. De même que le subterfuge annoncé par le sous-titre : « Histoire véritable tirée des manuscrits du P. Quesnel ». Le paravent n'abuse personne, mais, en gommant la présence de l'auteur, il permet des libertés ou des audaces. Le procédé amène aussi une multiplication des voix, l'auteur étant censé laisser la parole à un narrateur différent, mais lui disputant pourtant, à des moments qui restent à déterminer, la responsabilité de l'énonciation principale.

L'Ingénu, comme tous les contes de Voltaire, reste une œuvre de combat, mais, plutôt que de mener une attaque frontale, le polémiste préfère avancer masqué.

Les vertus du rire

Le jeu avec les genres s'accompagne du mélange des registres, même si l'ouvrage se présente d'abord à nous comme un texte satirique. La moquerie est d'abord sociale avec la peinture caricaturale de la petite société provinciale, engourdie dans sa mesquinerie, sa sottise et ses préjugés. Au fil du texte, diverses corporations sont attaquées directement : les militaires (chap. VII), les fonctionnaires (le commis du chapitre IX), les médecins (chap. XIX). Certains comportements sont également visés : la pruderie, l'ethnocentrisme, la superstition, les principes éducatifs inadaptés. La satire peut encore se faire politique avec les flèches contre le pouvoir représenté par une cour corrompue, contre la justice, expéditive et arbitraire, contre les grands et leurs caprices indécents. Mais la cible favorite est certainement la religion qui pervertit les esprits en colportant des fables (l'histoire de saint Dunstan), qui impose un formalisme contraire aux Écritures (« Je m'aperçois tous les jours qu'on fait ici une infinité de choses qui ne sont point dans votre livre », chap. V), qui suscite le sectarisme et l'intolérance, qui ne songe qu'à faire des adeptes par tous les moyens, qui est servie par un clergé au mieux incompétent (Kerkabon, M. de Saint-Yves, l'évêque), au pire dangereux (le père Tout-à-tous). Pour porter pleinement, la satire doit faire rire, et Voltaire y parvient au moyen de la caricature, comme dans la peinture de Mlle de Kerkabon, du bailli ou de l'amie de Versailles. Le romancier ne dédaigne pas de recourir à des effets grivois, inventant des situations scabreuses, tels l'examen de l'anatomie du Huron par les deux Bretonnes (chap. IV) ou la fureur de l'impétueux sauvage forçant la porte de sa fiancée pour passer aux actes (chap. VI). Les allusions licencieuses sont parfois plus discrètes, comme le « treizième miracle » d'Hercule qui fait baisser les yeux aux femmes (chap. IV) ou le commentaire ambigu qui accompagne la chute de la Saint-Yves : « Elle n'eut d'autre ressource que de se promettre de penser à l'Ingénu tandis que le cruel jouirait impitoyablement de la nécessité où elle était réduite. » (chap. XVII).

▌ L'arme de l'ironie

Mais l'arme favorite de Voltaire, et la plus redoutable, reste l'ironie, qu'elle s'exprime sous la forme de l'antiphrase (celle qui consiste à qualifier un champion de la casuistique de « bon confesseur », au début du chapitre XVI), du raccourci quand il est écrit de Mlle de Kerkabon : « elle aimait le plaisir et elle était dévote », de la périphrase comme cette définition du pape : « un homme qui demeure vers la Méditerranée, à quatre cents lieues d'ici, et dont je n'entends point la langue » (chap. V), de la fausse logique : « l'Ingénu était têtu, car il était breton et huron » (chap. IV), du jeu de mots (« l'Ingénu, qui n'était plus l'*ingénu* », chap. XIX), du sous-entendu (« Mons de Louvois n'aurait peut-être pas été satisfait des souhaits de l'Ingénu : il avait une autre sorte de mérite. », chap. XIX), des néologismes (les apé-

Genre, action, personnages

deutes, les linostoles et les pastophores, au chapitre XI), de la parodie, celle du parler métaphorique des Hurons quand l'Ingénu vante les charmes de Mlle Abacaba (chap. I) ou celle des romans d'aventure, dans certains titres de chapitre.

La tentation du pathétique

Pourtant, le comique, satirique ou polisson, l'ironie allusive ou sarcastique semblent s'estomper dans la deuxième partie du roman. Il suffit que Mlle de Saint-Yves apparaisse au premier plan de l'action – et il le faut bien puisque son fiancé est en prison – pour que la tonalité générale change et que le récit glisse vers le pathétique. De ce moment, les scènes se font plus théâtrales comme quand la jeune fille vertueuse se trouve face à monsieur de Saint-Pouange (chap. XV et XVII) ou quand elle arrive à la Bastille : « Quand il fallut descendre du carrosse, les forces lui manquèrent ; on l'aida ; elle entra, le cœur palpitant, les yeux humides, le front consterné. » (chap. XVIII). Même effet au moment où elle retrouve son amant et sa famille à l'avant-dernier chapitre et, plus encore, quand elle rend le dernier soupir, scène classique du roman sensible imité de *Manon Lescaut* ou de *La Nouvelle Héloïse* : « Son amant pressait sa main, qu'il baignait de pleurs, et éclatait en sanglots ». Sans qu'on sache si Voltaire s'abandonne malicieusement aux délices de la parodie ou sacrifie au goût des lecteurs, nous sommes plus proches ici du roman larmoyant que du conte philosophique.

Action et personnages

La construction en diptyque

Mieux que *Candide*, d'un format assez voisin, et surtout que les contes brefs déjà publiés par Voltaire, *L'Ingénu* est un récit structuré dont il est aisé de repérer les grandes étapes. On a pris l'habitude de diviser le roman en deux parties dont la première, correspondant aux neuf premiers chapitres, est centrée sur l'arrivée du Huron et son intégration plus ou moins difficile dans la société bretonne. Pendant cette période, qui court sur à peine quelques jours, l'Ingénu concentre sur lui l'intérêt du récit, ne quitte pas le devant de la scène et apparaît comme le moteur de l'action. Cette phase s'achève avec l'emprisonnement à la Bastille à la fin du chapitre IX. À partir de là, le Huron cesse de peser sur les événements, puisque sa présence devient sporadique et se réduit à des conversations avec Gordon ou à des découvertes culturelles. Le relais est pris alors par les autres protagonistes, notamment la compagnie de Basse-Bretagne et, parmi elle, la figure, jusqu'alors discrète et qui va devenir centrale, de Mlle de Saint-Yves. La jeune fille devient même le seul personnage agissant aux chapitres XIII, XV, XVI et XVII d'où est absent le Huron. Cette rupture explique le changement de tonalité déjà constaté, le conte satirique et léger du début glissant vers le roman sentimental et larmoyant dans la deuxième partie.

Cette répartition binaire est confirmée par l'utilisation de l'espace géographique. En effet, la première partie se passe exclusivement en Bretagne et la suite se déroule à Paris et à Versailles (à l'exception du passage à Saumur au chapitre VIII). L'opposition des lieux contribue à affiner le découpage, puisque le décor breton est abandonné à la fin du chapitre VII – moment précis où l'Ingénu s'éloigne de celle qu'il aime – et que c'est à Paris même, chez l'abbé de Saint-Yves, qu'a lieu la réunion des amants dans les trois derniers chapitres qui peuvent être considérés comme l'épilogue. On pourrait donc proposer deux subdivisions à l'intérieur du diptyque :

1. Autour de l'Ingénu :
a. en Basse-Bretagne, l'Ingénu et Saint-Yves sont réunis (chap. I à VI) ;
b. l'Ingénu part pour aller voir le roi (chap. VII à IX).

2. Autour de la Saint-Yves :
a. à Versailles, Mlle de Saint-Yves fait des démarches pour sortir l'Ingénu de prison (chap. X à XVII) ;
b. à Paris, elle retrouve son fiancé mais elle succombe à sa honte (chap. XVIII à XX).

Genre, action, personnages

Les deux temps majeurs du roman se répondent de manière parfaitement équilibrée.

Une double intrigue

La structure binaire souligne l'entrelacement de deux intrigues : d'un côté, l'éducation du Huron qui doit abandonner ses mœurs de sauvage pour conquérir sa place dans une société civilisée ; de l'autre, l'histoire d'amour contrarié qui conduit Mlle de Saint-Yves à faire le sacrifice de sa vertu, puis de sa vie. L'utilisation de ce que l'on nomme le « schéma quinaire » (en cinq temps) permet de mieux discerner l'imbrication de ces deux fils narratifs. Tout récit obéit en effet à une logique interne fondée sur une *transformation* qui d'un état initial d'équilibre va, par le biais d'un événement déclencheur et au travers de diverses actions, conduire à une sanction puis à un état final correspondant à un nouvel équilibre. Il est aisé d'appliquer un tel schéma à *L'Ingénu* :

État initial : en Bretagne, en juillet 1689, un Indien d'Amérique appelé l'Ingénu débarque parmi une compagnie de notables qui souhaitent le baptiser et le civiliser.

Complication : l'Ingénu s'éprend de Mlle de Saint-Yves, souhaite l'épouser et se heurte à une interdiction de l'Église catholique car la jeune fille est devenue sa marraine.

Action : pour obtenir gain de cause, le héros participe à un combat victorieux contre les Anglais, puis part pour Versailles chercher sa récompense et son autorisation de mariage. Il est emprisonné à la Bastille, pris en main par un janséniste nommé Gordon et finalement sauvé par Mlle de Saint-Yves, qui s'est soumise au chantage d'un ministre.

Conséquence : Mlle de Saint-Yves, bourrelée de remords, se laisse mourir.

État final : l'Ingénu surmonte son chagrin, affiche sa sagesse de philosophe, reste auprès de Gordon et devient officier.

Cette distribution fait d'abord ressortir l'importance de l'obstacle religieux, rendant ici la priorité à l'intention polémique. Elle met en valeur également le rôle de Mlle de Saint-Yves (et de l'amour) dans le processus d'accès à la sagesse. C'est par sa mort que la jeune fille scelle l'édification du Huron, qui renonce alors à tous les excès de sa personnalité (dont la tentation du suicide serait l'ultime manifestation) pour se faire philosophe. La leçon du roman pourrait alors s'interpréter comme la description du cheminement difficile par lequel on passe d'une rusticité primitive à une conception mesurée de la vie. Entre l'amour qui flatte les instincts et les idées qui forment le jugement, le Huron a choisi. Gordon l'emporte sur la Saint-Yves, la fréquentation des livres sur le badinage galant. Le romanesque n'était qu'un leurre, les deux intrigues, un brouillage narratif, le vrai message est conforme à l'engagement philosophique de Voltaire : éclairez les esprits, vous aiderez à vivre.

Le personnel du conte

Par certains côtés, les personnages qui apparaissent dans *L'Ingénu* appartiennent à l'esthétique du conte. Leur patronyme défie le plus souvent la loi réaliste, à commencer par celui de l'Ingénu. Comme son cousin Candide, le Huron ne possède pas un vrai nom de baptême, mais une appellation « de nature » conforme à la qualité qu'il se reconnaît : « parce que je dis toujours naïvement ce que je pense, comme je fais tout ce que je veux » (chap. I). En le baptisant « Hercule », son entourage consacre une autre particularité, sa force physique et sa virilité, comme le laisse entendre malicieusement la fin du chapitre IV. Mlle de Saint-Yves, elle, ne possède pas de prénom, entorse curieuse aux règles romanesques ; son patronyme doit souligner son origine bretonne en même temps que rappeler sa vertu (par le préfixe « saint ») et l'opposer à son symétrique au nom phonétiquement détestable, Saint-Pouange. Mentionnons pour mémoire d'autres noms plaisants comme celui de l'ex-fiancée du Huron, Mlle Abacaba ou celui du confesseur jésuite, le père Tout-à-tous.

La gaieté du conte se perçoit encore dans la simplification psychologique que traduisent ce qu'on appelle les épithètes

Genre, action, personnages

« homériques » (adjectifs systématiquement accolés à un personnage pour aider à son identification, comme dans les épopées d'Homère) : la « belle » Mlle de Saint-Yves, qui deviendra à la fin la « pauvre jeune fille », l'« interrogant » bailli, la « courte et ronde » Mlle de Kerkabon, et ce trio caricatural : « un gros abbé, un énorme bailli et un jeune benêt » (chap. XIII). Hormis les trois personnages principaux, les protagonistes de l'action, apparus souvent de manière fugitive, se réduisent à une fonction : le bailli représente l'esprit étroit de la province, l'abbé de Saint-Yves la force des préjugés, Mlle de Kerkabon, l'obsession sexuelle ; l'amie versaillaise reprend le modèle de l'entremetteuse intrigante, le père Tout-à-tous est un nouveau Tartuffe, Saint-Pouange incarne l'homme de pouvoir libertin et lubrique. Même les héros n'échappent pas aux stéréotypes : le jeune homme fougueux et téméraire, la jeune fille vertueuse et « bien élevée », le philosophe endurant et compréhensif. Nous sommes à la comédie et ces silhouettes plus ou moins bien dessinées doivent d'abord faire sourire.

La conquête de l'héroïsme

Ce serait pourtant une erreur que de limiter les personnages à cette description superficielle. En jouant sur le double sens du mot « héros » (personnage de roman et auteur d'une action héroïque), on peut dire que les acteurs essentiels de cette comédie accèdent, au fil de l'histoire, à un statut de héros. D'abord parce que chacun accomplit des actes dignes d'admiration : la bataille contre les Anglais, la défense des protestants, le voyage à Versailles, l'éducation par les livres pour l'Ingénu ; les démarches auprès des religieux ou des grands, la soumission à Saint-Pouange puis son refus du côté de Mlle de Saint-Yves. Ensuite parce qu'ils gagnent progressivement en épaisseur psychologique et corrigent le schématisme de leur image extérieure. Le Huron, brutal et violent, devient réfléchi et modéré ; il était obstiné, il s'ouvrira à la contradiction ; d'ignorant primaire, il se change en étudiant cultivé. En se transformant de « brute en homme » (chap. XI), il conquiert ses galons de personnage à part entière, devenant nuancé, imprévisible, faillible, attachant en somme.

Même métamorphose pour la belle Saint-Yves, simple objet de désir au début, poupée un peu sotte sortie du couvent que l'amour transfigure et que les épreuves révèlent. Elle rejette un confesseur réputé, tient tête à un ministre, regagne sa dignité perdue par le sacrifice de sa vie. La satisfaction de son désir (rejoindre son amant) ne suffit pas à effacer la douleur de sa honte. Elle cesse d'être construite d'une seule pièce, elle hésite, souffre et ses tiraillements la grandissent.

Chacun des deux héros a parcouru le chemin qui le mène à l'émancipation, dépassant sa passivité du début pour accepter le combat et l'action porteurs d'indépendance. On noterait d'ailleurs que l'élévation commune des deux personnages se révèle contagieuse. Gordon, un peu trop prisonnier de ses convictions, s'attendrit et apprend à connaître l'amour « comme un sentiment aussi noble que tendre, qui peut élever l'âme autant que l'amollir » (chap. XIV). Jusqu'à l'ignoble Saint-Pouange qui, au mépris de la vraisemblance, se convertit au bien, échappant ainsi à son étiquette simpliste de méchant (chap. XX).

La transformation des personnages comme le redoublement de l'intrigue, comme la double face des événements et l'ambiguïté de la devise finale qui réunit le malheur et le bien illustrent le point ultime de la philosophie voltairienne. Le patriarche de Ferney en est arrivé à refuser de porter un regard univoque sur le monde et préfère faire usage, comme il le dit dans une lettre qui a inspiré certains commentateurs (tel Jean Starobinski) du « fusil à deux coups ». Quand le premier coup dénonce le mal, le deuxième corrige le tir en atteignant la cible du bien. Et réciproquement. Les imperfections de l'humanité méritent d'être relativisées et la perfection est un rêve inaccessible.

L'œuvre : origines et prolongements

Sur les Hurons et quelques autres

VOLTAIRE possède une imagination et une virtuosité suffisamment affirmées pour se dispenser d'emprunter les sujets de ses livres à ses prédécesseurs. Aussi est-on bien en peine de trouver des sources attestées à ses contes en général et à *l'Ingénu* en particulier, même si on peut prêter à cette œuvre certains modèles livresques.

SUR LA QUESTION du sauvage, dont l'époque a fait un thème de débat favori, il connaît sans doute *La Fable des abeilles*, livre du philosophe d'origine hollandaise Bernard de Mandeville publié en 1705, qui montre la méchanceté foncière de l'homme et la nécessité de la civilisation. Il a lu les livres de La Hontan, sorte de chronique canadienne en trois parties que l'on présente sous le titre : *Dialogues curieux entre l'auteur et un sauvage de bons sens dans l'Amérique* (1703-1705). On voit dans ce livre un Huron, nommé Adario, débattre avec l'auteur sur la question des mérites comparés de la civilisation occidentale et du mode de vie des Indiens. Le « primitif » d'Amérique montre, par ses questions ou ses réflexions, la sagesse des prétendus sauvages et contribue à créer le mythe d'un âge d'or où l'homme aurait su trouver le bonheur en se conformant à la loi naturelle. Dans son monde, explique Adario, « chacun consacre son adresse et son industrie au bonheur commun. » On citerait aussi les *Lettres d'un sauvage dépaysé à son correspondant en Amérique*, texte attribué à Joubert de La Rue et publié en 1742 à Amsterdam.

MAIS LE LIVRE qui semble le plus proche de *L'Ingénu* est celui de Maubert de Gouvest, *Lettres iroquoises* (1752). Le titre de l'ouvrage le place dans la lignée du texte devenu la référence en matière de regard neuf, les *Lettres persanes* de Montesquieu (1721), où le voyage de deux Persans en France et en Europe sert

146

L'œuvre : origines et prolongements

de prétexte à la satire des institutions occidentales. Dans ce nouveau roman par lettres, Maubert de Gouvest met en scène un Indien d'Amérique nommé Igli qui, comme l'Ingénu, connaîtra les geôles de la Bastille pour cause de blasphème religieux. En prison, il reçoit les leçons d'un janséniste qui lui apprend le latin et lui ouvre l'esprit. Dans la même veine doivent être mentionnées les *Lettres illinoises ou l'Espion américain en Europe,* livre publié à Londres en 1766 où apparaît un Indien d'Amérique d'origine française.

ON TROUVE encore des Hurons dans un conte de Nicolas Bricaire de la Dixmérie, *Azakia, anecdote huronne* (1765), dans un roman de Lesage, *Les aventures de Robert chevalier dit de Beauchêne* (1732), chez Prévost dans l'*Histoire de Cleveland* (1739). Voltaire lui-même nous met sur la piste d'une source documentaire quand il cite, au chapitre premier, un ouvrage que possède le prieur de Kerkabon et qu'il possédait lui-même, le *Grand Voyage au pays des Hurons avec un dictionnaire de la langue huronne*, du père Sagard-Théodat, sorte de grammaire huronne publiée en 1632, pleine d'informations précieuses sur cette tribu du Canada, son langage et ses mœurs. Peu avant la parution de *L'Ingénu*, Voltaire s'intéresse enfin au livre de Sébastien Mercier *L'Homme sauvage,* qui vient de paraître et qu'il réclame au fidèle Damilaville dans une lettre du 24 juin 1767.

Le mythe revisité

LES ŒUVRES d'inspiration exotique qui ont servi de modèles à *L'Ingénu* ont contribué à entretenir le fameux mythe du « bon sauvage » qu'on doit compter au rang des problématiques centrales des Lumières. Plus qu'un goût frivole et superficiel pour le Nouveau Monde (illustré par des œuvres de fantaisie), cet intérêt pour les primitifs contient une interrogation généreuse sur la diversité des cultures et leur relativisme. En valorisant l'homme naturel, on montre les tares de l'homme civilisé ; en décrivant des modes de vie simples et fraternels, on dénonce les dysfonctionnements des sociétés organisées.

L'œuvre : origines et prolongements

Voltaire ne peut rester indifférent à une question aussi essentielle qui souvent s'exprime, comme il l'a vérifié en lisant Rousseau, sous la forme d'un éloge de la vie primitive. Or, à la différence de ses contemporains, et notamment de Jean-Jacques, il ne partage pas cette vision idyllique des bienfaits du bon sauvage face au mauvais civilisé. À la réception du *Discours sur l'origine de l'inégalité parmi les hommes*, il adresse à Rousseau une lettre de remerciements pleine de fiel et d'ironie qui caricature les thèses de l'auteur : « On n'a jamais employé autant d'esprit à nous rendre bêtes ; il prend envie de marcher à quatre pattes, quand on lit votre ouvrage » (30 août 1755).

Lui-même fait paraître en 1761 un bref opuscule qui reprend la mode exotique et qui a pour titre : *Entretien d'un sauvage et d'un bachelier*. Le sauvage, venu de la Guyane, « qui était né avec beaucoup de bon sens, et qui parlait assez bien le français », rectifie certains lieux communs : « L'homme me paraît né pour la société [...] ; nous vivons tous en société chez nous. » Et, plus loin : « Il me paraît que tout ce qui nous fait plaisir sans faire tort à personne est très bon et juste ; que ce qui fait tort aux hommes sans nous faire de plaisir est abominable. » Voltaire n'est pas le dernier à dénoncer les défauts de la vie civilisée (ses divers contes, depuis *Zadig*, le démontrent clairement), mais il refuse de faire partie de ces nostalgiques qui se répandent en louanges au sujet d'un contestable éden primitif. Son poème de jeunesse *Le Mondain* (1736) défendait déjà les valeurs de la civilisation et les mérites de ce « siècle de fer ». *L'Ingénu* sera l'occasion de poursuivre sa critique sociale grâce au procédé du regard étranger, mais l'ouvrage ne peut se confondre avec les peintures flatteuses de l'état de nature.

Plaidoyer pour l'éducation

Le héros du roman, en premier lieu, n'est pas un véritable sauvage, puisqu'il est né de parents européens, et qu'il est peut-être même français lui-même. Il n'est pas ignorant des mœurs

L'œuvre : origines et prolongements

occidentales, puisqu'il a côtoyé dans sa « grande jeunesse en Huronie » un Français qui lui a enseigné la langue, avant que le hasard ne lui fasse apprendre l'anglais. Il est certes violent et emporté, mais il peut faire preuve de politesse (chap. III), il est ouvert aux conseils, se montre désireux de s'instruire et quitte vite sa rusticité d'origine. Il va connaître un développement culturel remarquable grâce à d'étonnantes dispositions accompagnées d'une virginité d'esprit qui lui permet d'échapper aux préjugés. « Il voyait les choses comme elles sont, au lieu que les idées qu'on nous donne dans l'enfance nous les font voir toute notre vie comme elles ne sont point. » (chap. XIV).

Il ressemble à Candide par sa qualité première, la franchise, la naïveté, mais il s'oppose à lui dans la mesure où le jeune Westphalien, à la différence du Huron, a l'esprit embrumé par les théories fumeuses qu'on lui a mises dans la tête. Plus qu'un sauvage ou qu'un homme naturel, l'Ingénu est une page blanche : « Car, n'ayant rien appris dans son enfance, il n'avait point appris de préjugés. » (chap. XIV). Son exemple ne doit pas nous incliner à une valorisation excessive des primitifs, mais nous encourager à repenser le monde en dehors des idées préconçues. En abandonnant en particulier le sectarisme religieux, le respect des grands, la soumission à l'arbitraire du pouvoir, formes plus pernicieuses de barbarie, il nous enseigne à faire un usage indépendant de notre intelligence. Ainsi le mythe se trouve-t-il retourné et le « dernier prodige » sera la conversion du janséniste par le Huron (chap. XIV), c'est-à-dire l'opération de régénération de l'esprit qui permet à l'homme prétendu civilisé de gagner en authenticité. Ce qui manquait à cet Indien du Canada pour être un homme accompli, c'était l'éducation. En la lui donnant, Gordon fait de lui un exemple de sagesse, le prototype de l'esprit éclairé.

L'histoire d'amour et de vertu

Dans cette formation de l'esprit, l'intrigue amoureuse joue un rôle capital, puisqu'elle en fournit le mobile – l'Ingénu s'instruit pour obtenir la main de Mlle de Saint-Yves – et qu'elle permet un redoublement du message, à l'éducation du Huron répondant celle de la jeune Bretonne. Parmi les modèles dont aurait disposé Voltaire pour nourrir son projet romanesque, on avance souvent le nom de romanciers anglais, Fielding et surtout Richardson, dont les romans furent reçus triomphalement en France. *Pamela ou la Vertu récompensée* (1740) raconte les aventures d'une héroïne vertueuse qui échappe à la griffe d'un séducteur libertin ; *Clarisse Harlowe* (1747-1748) reprend le même schéma mais s'achève plus dramatiquement, la jeune fille innocente, séduite et abandonnée par l'odieux Lovelace, se laissant mourir de chagrin.

Un autre roman a pu inspirer Voltaire, même s'il est écrit par un auteur qu'il déclare mépriser, c'est l'*Histoire de madame Luz* de Charles Pinot-Duclos, parue en 1741. Là aussi, l'héroïne est contrainte, pour sauver son mari, de sacrifier sa vertu et finit par s'abandonner à la mort. La Manon de Prévost, elle aussi, expire dans les bras de son amant (*Manon Lescaut*, 1731), de même que la Julie de Rousseau (*La Nouvelle Héloïse*, 1761), qui fit pleurer des générations de lecteurs et qui indisposait Voltaire, bien qu'il ait peut-être souhaité imiter sa sensibilité.

Le principal point commun entre ces divers romans est le thème de la vertu, mot et notion auxquels le nom de Mlle de Saint-Yves semble définitivement attaché. L'expression « les infortunes de la vertu » qu'utilisera Sade comme sous-titre à sa *Justine* (1787) pourrait être appliquée au destin de la fiancée de l'Ingénu. On pourrait penser aussi à un autre roman postérieur écrit par un disciple de Jean-Jacques, *Paul et Virginie* (1788) de Bernardin de Saint-Pierre, pour qui vie naturelle et vertu sont indissociables. Voltaire, lui, est convaincu du contraire : la vertu est le résultat de la domestication. Dans la littérature sentimentale, qu'elle s'avère incapable d'apporter le bonheur le prouve. Son contraire, le vice, n'y parvient d'ailleurs pas davantage. En revanche, par l'éducation, par le contrôle des sentiments, on a des chances d'atteindre non le bonheur, mais une forme

L'œuvre : origines et prolongements

d'équilibre personnel (comme à la fin de *Candide*), une philosophie de la modération qui aide à vivre. L'expérience de la souffrance prodigue ce bénéfice qui autorise à dire avec Gordon : « *malheur est bon à quelque chose* ».

Une ébauche préparatoire

CETTE MORALE modeste qui conclut *L'Ingénu* nous conduit à en chercher les traces lointaines dans un conte que Voltaire a écrit dans sa jeunesse (en 1714) et qu'il n'a jamais publié de son vivant, *Cosi-Sancta*. Cette « nouvelle africaine », comme le dit le sous-titre, se passe à Hippone, ville natale de saint Augustin sous le proconsulat de Septimius Acindynus (cité dans *L'Ingénu* au chapitre XVI). Cosi-Sancta (dont le nom peut se traduire par « ainsi sainte ») est une jeune fille très belle, mariée à un homme qu'elle n'aime pas et qui va consulter un curé pour connaître le sort de son mariage. La prophétie est étrange : « Ma fille, ta vertu causera bien des malheurs ; mais tu seras un jour canonisée pour avoir fait trois infidélités à ton mari. » La première partie de la prédiction se réalise quand le beau jeune homme à qui elle a résisté se fait tuer en cherchant à lui rendre visite. La deuxième partie de l'oracle se vérifie peu après puisqu'elle est obligée de sacrifier sa vertu pour sauver successivement son mari, son frère et son fils. Après sa mort, elle est canonisée et le texte s'achève sur cette phrase « et l'on grava sur sa tombe : UN PETIT MAL POUR UN GRAND BIEN. »

LES PARENTÉS de ce conte avec l'aventure de Mlle de Saint-Yves sont évidentes : mêmes principes vertueux, même obligation du sacrifice pour sauver une personne chère, même conclusion dans le renversement du mal en bien. En revanche, dans *L'Ingénu* Voltaire abandonne les éléments de fantaisie comme l'exotisme, dans le temps et dans l'espace, comme le merveilleux attaché à la prophétie, comme l'effet traditionnel de la triple répétition de l'acte. Il reprend toutefois le même sujet, en fait un ressort dramatique de son roman, atténue sa portée sexuelle en réduisant la faute à une seule occurrence (bien que

Saint-Pouange réclame une récidive), le traite avec plus de réalisme, s'efforce d'en tirer des effets sensibles, réhabilite la coupable par sa mort injuste.

Une esquisse préalable

Le deuxième document préparatoire à *L'Ingénu* est constitué par un manuscrit qu'on date de l'année 1766, retrouvé seulement en 1958, et qui résume en termes télégraphiques le livre à venir : « *Histoire de l'Ingénu, élevé chez les sauvages, puis chez les Anglais, instruit dans la région de Basse-Bretagne, tonsuré, confessé, se battant avec son confesseur, son voyage à Versailles chez frère Letellier son parent, volontaire deux campagnes, sa force incroyable. Son courage, veut devenir cap[itaine] de cav[alerie], étonné du refus. Se marie, ne veut pas que le m[ariage] soit un sacrement, trouve très bon que sa femme soit infidèle parce qu'il l'a été. Meurt en défendant son pays, un capitaine anglais l'assiste à sa mort avec un jésuite et un janséniste, il les instruit en mourant.* » Le titre semble trouvé, de même que le canevas général, même si, dans le détail, des modifications seront apportées au projet annoncé, notamment le mariage du Huron, sa carrière militaire et sa mort au champ de bataille. L'emprisonnement n'est pas envisagé, de même que l'éducation philosophique du Huron. Le rôle de l'épouse est, à l'évidence, très secondaire, voire négatif puisqu'on annonce son infidélité.

Il semblerait que l'état final du roman soit le résultat de la combinaison des deux ébauches, le conte *Cosi-Sancta* que Voltaire a gardé dans ses cartons, et le projet narratif qu'il a griffonné sur le papier. Cette élaboration composite suffit à disqualifier la légende d'un Voltaire improvisateur, inventant ses contes au gré des besoins. Si la rédaction peut être rapide, ce qui fut le cas pour *L'Ingénu* et pour *Candide*, la gestation a souvent été fort longue.

L'œuvre
et ses représentations

Sur les traces du sauvage

Le mythe du bon sauvage est antérieur à Voltaire et lui a survécu. Après lui, on a continué à vouloir confronter les façons d'être et de penser de primitifs et de civilisés. Le XVIIIe siècle, qui semble s'être passionné pour ce thème, l'a encore exploité avec, en 1772, cinq ans après *L'Ingénu*, le texte de Diderot *Supplément au Voyage de Bougainville*. Il s'agit d'un dialogue entre Français et Tahitiens qui, conformément à l'usage dominant, tourne à la faveur de l'indigène dont les propos ressemblent à un réquisitoire contre les mœurs, notamment religieuses ou sexuelles, de la société occidentale. En Angleterre, un romancier obscur, Robert Bage, fait paraître vers la fin du siècle, en 1796, *Hemsprong, ou l'homme tel qu'il est*, roman matérialiste manifestement inspiré par Voltaire, décrivant l'homme en l'état de nature. En 1801, Chateaubriand, dans *Atala*, mettait en scène un épisode de la vie d'une tribu indienne d'Amérique, les Natchez. Le sous-titre de l'ouvrage montre le mélange de sentiment et de couleur locale : *Atala ou les amours de deux sauvages dans le désert*. L'héroïne éponyme, jeune fille chrétienne, ne peut, en raison d'un vœu de chasteté, appartenir à Chactas, qu'elle aime ; elle se laissera mourir dans les bras de son amant.

Avec le développement de la civilisation, la question du sauvage va perdre de son actualité, au moins dans sa dimension exotique et romanesque. À partir du XXe siècle, l'intérêt que l'on porte aux populations primitives obéit moins à des raisons de curiosité qu'à des motifs scientifiques à travers les recherches de l'anthropologie et de l'ethnologie. Claude Lévi-Strauss, le célèbre ethnologue français, s'est attaché à décrire le mode de vie de tribus primitives amazoniennes et a imposé la thèse, aujourd'hui admise, du relativisme des cultures et de la non-pertinence de la notion de « sauvage ». « En refusant l'humanité, écrit-il, à ceux qui apparaissent comme les plus "sauvages" ou "barbares" de ses représentants, on ne fait que leur emprunter une de leurs attitudes typiques. Le barbare, c'est d'abord l'homme qui croit à la barbarie. » (*Race et Histoire*, 1952.)

Une des destinées inattendues de *L'Ingénu* est d'avoir contribué à discréditer la position ethnocentrique, puisque le livre nous conduit à reconnaître ce qu'il y a de mauvais et de bien dans chaque culture. Conformément à une autre réflexion de Lévi-Strauss : « Aucune société n'est parfaite. Toutes comportent par nature une impureté incompatible avec les normes qu'elles proclament, et qui se traduit concrètement par une sorte d'injustice, d'insensibilité, de cruauté. » (*Tristes Tropiques*, 1955.)

Adaptations théâtrales et transpositions à l'opéra

Variations autour d'un modèle

Si *L'Ingénu* n'a pas de véritable descendance, ce livre a suscité de multiples transpositions, notamment au théâtre et à l'opéra. Dès 1768, les Comédiens-Italiens jouèrent une pièce en deux actes et en vers, accompagnée de chansons, reprise de Voltaire et adaptée par Grétry et Marmontel. À partir de là, les adaptations théâtrales se succèdent. *L'Ingénu ou le Sauvage du Canada* par Eugène Hus (1805) ; *Le Huron et les Trois Merlettes*, « folie philosophique » de Xavier Duvert-Lauzanne (1834) ; *L'Ingénu libertin*, conte en trois actes par Louis Artus (1908) ; *L'Ingénu*, comédie en trois actes de Méré et Gignoux (1913).

On a aimé aussi mettre de la musique sur le texte de Voltaire comme dans *Le Petit Candide ou L'Ingénu* de Chazet et Seurin (1913), ou dans les opéras de Pacini (*L'Ingenua*, 1916), de Leroux (*L'Ingénu*, 1928), de Méré et Gignoux (*L'Ingénu*, 1930).

Transpositions de L'Ingénu à l'écran

L'adaptation cinématographique de la Gaumont (1912) ; le téléfilm de Jean Cosmos (1975)

Le sujet est aussi devenu un film, en 1912 dans une production spectaculaire et muette en quatre épisodes tournés par la compagnie Gaumont et, en 1975, un téléfilm, dans une adaptation de Jean Cosmos et une réalisation de Jean-Pierre Marchand, Jean-Claude Drouot jouant le rôle de l'Ingénu.

Illustrations graphiques de L'Ingénu

> *Les gravures et dessins à la plume de Moreau le Jeune (1787) ; les dessins, eaux-fortes et burins de Bernard Naudin (1927)*

Un autre prolongement est celui de l'illustration graphique avec, en particulier, les gravures proposées par Jean-Michel Moreau, dit Moreau le Jeune, pour l'édition de Kehl (1787). Ce célèbre illustrateur de *Candide* a proposé également une série de dessins à la plume assortis de légendes. Ainsi, pour le chapitre IV, l'artiste retient la scène du baptême montrant le Huron nu, de dos, sous le regard attentif des deux demoiselles, dessin commenté par la citation : « Mademoiselle, croyez-vous qu'il reprenne sitôt ses habits ? » L'esthétique du peintre le pousse à préférer les situations chargées d'émotion et susceptibles de toucher les sensibilités, comme la scène de la victoire de Saint-Pouange, les retrouvailles des deux amants, les lamentations du fiancé devant le cercueil de la malheureuse Saint-Yves. Ces diverses planches, moins célèbres que celles de *Candide*, valorisent la dimension romanesque du conte au détriment de sa portée idéologique ou satirique.

D'autres dessinateurs ont été tentés par l'illustration du roman, tel, à l'époque de Voltaire, C. Monnet pour l'édition de 1778. Ces gravures, très soignées et assez suggestives, sont moins empreintes de pathétique que celles de Moreau bien que privilégiant elles aussi les situations spectaculaires : le débarquement du Huron (chap. I), le baptême (chap. IV), le dîner du même chapitre, la Saint-Yves aux genoux du vice-ministre (chap. XV), la scène de « l'élargissement » de l'Ingénu (chap. XVIII), etc. Mention doit être faite encore des dessins de Bernard Naudin, pour l'édition de 1927, eaux-fortes et burins dans l'esprit caractéristique de ce que l'on a appelé « l'Art nouveau ».

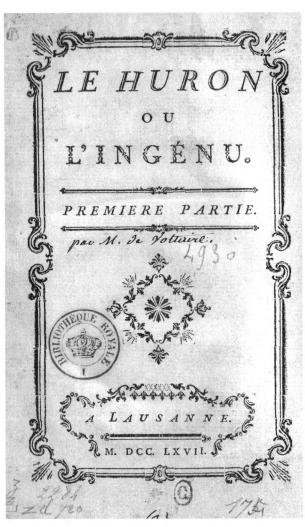

Le Huron ou L'Ingénu de Voltaire.
Page de titre, 1767.

Scène de *L'Ingénu.*
Gravure de Charles Monnet, XVIIIᵉ s.

Je vous adore en vous disant un éternel adieu. (Page 119.)

L'Ingénu au chevet de la belle Saint-Yves.
Gravure anonyme, 1867.

L'œuvre à l'examen

Objets d'étude : l'argumentation ;
le siècle des Lumières et ses combats.

À l' *écrit*

Corpus bac : sauvages et civilisés.

TEXTE 1

Montaigne, *Essais*, I, 31, « Des cannibales ».

« Trois d'entre eux[1], ignorant combien coûtera un jour à leur
repos et à leur bonheur la connaissance des corruptions de
deçà[2], et que de ce commerce[3] naîtra leur ruine, comme je pré-
suppose qu'elle soit déjà avancée, bien misérables de s'être
laissé piper[4] au désir de la nouvelleté, et avoir quitté la douceur
de leur ciel pour venir voir le nôtre, furent à Rouen du temps
que le feu roi Charles neuvième y était. Le roi parla à eux longtemps ; on leur fit voir notre façon[5], notre pompe[6], la forme
d'une belle ville. Après cela quelqu'un en demanda leur avis, et
voulut savoir d'eux ce qu'ils y avaient trouvé de plus
admirable ; ils répondirent trois choses, d'où j'ai perdu la troisième, et en suis bien marri[7], mais j'en ai encore deux en
mémoire. Ils dirent qu'ils trouvaient en premier lieu fort
étrange que tant de grands hommes portant barbe, forts et
armés, qui étaient autour du Roi (il est vraisemblable qu'ils parlaient des Suisses de sa garde), se soumissent à obéir à un
enfant, et qu'on ne choisissait plutôt quelqu'un d'entre eux
pour commander ; secondement (ils ont une façon de leur langage telle qu'ils nomment hommes « moitiés » les uns des

---

1. **Eux :** des sauvages d'Amérique, réellement reçus à Rouen.
2. **De deçà :** d'ici, en Europe.
3. **De ce commerce :** de cette fréquentation.
4. **Piper :** tromper.
5. **Notre façon :** nos usages.
6. **Notre pompe :** notre luxe.
7. **Marri :** désolé.

autres) qu'ils avaient aperçu qu'il y avait parmi les hommes pleins et gorgés de toutes sortes de commodités, et que leurs moitiés étaient mendiants à leurs portes, décharnés de faim et de pauvreté ; et trouvaient étrange comme ces moitiés ici nécessiteuses pouvaient souffrir une telle injustice, qu'ils ne prissent les autres à la gorge, ou missent le feu à leurs maisons. Je parlai à l'un d'eux fort longtemps ; mais j'avais un truchement[1] qui me suivait si mal et qui était si empêché à recevoir mes imaginations[2] par sa bêtise, que je n'en pus tirer guère de plaisir. Sur ce que je lui demandai quel fruit il recevait de la supériorité qu'il avait parmi les siens (car c'était un Capitaine, et nos matelots le nommaient Roi), il me dit que c'était marcher le premier à la guerre ; de combien d'hommes il était suivi, il me montra un espace de lieu, pour signifier que c'était autant qu'il en pourrait en un tel espace (ce pouvait être quatre ou cinq mille hommes) ; si, hors la guerre, toute son autorité était expirée, il dit qu'il lui en restait cela que, quand il visitait les villages qui dépendaient de lui, on lui dressait des sentiers au travers des haies de leurs bois, par où il pût passer bien à l'aise. Tout cela ne va pas trop mal : mais quoi, ils ne portent point de hauts-de-chausses ! »

TEXTE 2

Rousseau, *Discours sur l'origine de l'inégalité parmi les hommes* (1754). Première partie.

« En dépouillant cet être[3], ainsi constitué, de tous les dons surnaturels qu'il a pu recevoir, et de toutes les facultés artificielles qu'il n'a pu acquérir que par de longs progrès ; en le considérant, en un mot, tel qu'il a dû sortir des mains de la nature, je vois un animal moins fort que les uns, moins agile que les autres, mais à tout prendre, organisé le plus avantageusement

---

1. **Truchement :** interprète.
2. **Mes imaginations :** mes idées.
3. **Être :** l'homme à l'état naturel.

L'œuvre à l'examen

de tous : je le vois se rassasiant sous un chêne, se désaltérant au premier ruisseau, trouvant son lit au pied du même arbre qui lui a fourni son repas, et voilà ses besoins satisfaits.

La terre abandonnée à sa fertilité naturelle, et couverte de forêts immenses que la cognée ne mutila jamais, offre à chaque pas des magasins et des retraites aux animaux de toute espèce. Les hommes, dispersés parmi eux, observent, imitent leur industrie[1], et s'élèvent ainsi jusqu'à l'instinct des bêtes, avec cet avantage que chaque espèce n'a que le sien propre, et que l'homme, n'en ayant peut-être aucun qui lui appartienne, se les approprie tous, se nourrit également de la plupart des aliments divers que les autres animaux se partagent, et trouve par conséquent sa subsistance plus aisément que ne peut faire aucun d'eux. Accoutumés dès l'enfance aux intempéries de l'air et à la rigueur des saisons, exercés à la fatigue et forcés de défendre nus et sans armes leur vie et leur proie contre les autres bêtes féroces, ou de leur échapper à la course, les hommes se forment un tempérament robuste et presque inaltérable ; les enfants, apportant au monde l'excellente constitution de leurs pères et la fortifiant par les mêmes exercices qui l'ont produite, acquièrent ainsi toute la vigueur dont l'espèce humaine est capable. La nature en use précisément avec eux comme la loi de Sparte avec les enfants des Citoyens[2] ; elle rend forts et robustes ceux qui sont bien constitués, et fait périr tous les autres ; différente en cela de nos sociétés, où l'État, en rendant leurs enfants onéreux[3] aux pères, les tue indistinctement avant leur naissance.

Le corps de l'homme sauvage étant le seul instrument qu'il connaisse, il l'emploie à divers usages, dont, par le défaut d'exercice, les nôtres sont incapables ; et c'est notre industrie[4]

1. **Industrie :** activité.
2. **Les enfants des Citoyens :** à Sparte, cité grecque de l'Antiquité soucieuse de sa force et de sa pureté, les enfants étaient sélectionnés à la naissance.
3. **Onéreux :** qui coûtent du souci ou de l'argent.
4. **Notre industrie :** notre intelligence.

qui nous ôte la force et l'agilité que la nécessité l'oblige d'acquérir. S'il avait eu une hache, son poignet romprait-il de si fortes branches ? S'il avait eu une fronde, lancerait-il de la main une pierre avec tant de roideur ? S'il avait une échelle, grimperait-il si légèrement sur un arbre ? S'il avait un cheval, serait-il si vite à la course ? Laissez à l'homme civilisé le temps de rassembler toutes ces machines autour de lui, on ne peut douter qu'il ne surmonte facilement l'homme sauvage ; mais si vous voulez voir un combat plus inégal encore, mettez-les nus et désarmés vis-à-vis l'un de l'autre, et vous reconnaîtrez bientôt quel est l'avantage d'avoir sans cesse toutes ses forces à disposition, d'être toujours prêt à tout événement et de se porter, pour ainsi dire, toujours tout entier avec soi. »

TEXTE 3

Voltaire, *L'Ingénu*, 1767, chap. XIV, l. 1 à 61.

TEXTE 4

Diderot, *Supplément au Voyage de Bougainville*, 1772.

Nous sommes à Tahiti où un vieillard harangue les explorateurs européens et Bougainville en particulier.

« Et toi, chef des brigands qui t'obéissent, écarte promptement ton vaisseau de notre rive : nous sommes innocents, nous sommes heureux ; et tu ne peux que nuire à notre bonheur. Nous suivons le pur instinct de la nature : et tu as tenté d'effacer de nos âmes son caractère. Ici tout est à tous ; et tu as prêché je ne sais quelle distinction du *tien* et du *mien*. Nos filles et nos femmes nous sont communes ; tu as partagé ce privilège avec nous ; et tu es venu allumer en elles des fureurs inconnues. Elles sont devenues folles dans tes bras ; tu es devenu féroce entre les leurs. Elles ont commencé à se haïr ; vous vous êtes égorgés pour elles ; et elles nous sont revenues teintes de votre sang. Nous sommes libres ; et voilà que tu as enfoui dans notre terre le titre de notre futur esclavage. Tu n'es ni un dieu, ni un démon : qui es-tu donc, pour faire des esclaves ? Orou[1] ! Toi qui entends la langue de ces hommes-là, dis-nous à tous, comme tu me l'as dit à moi, ce qu'ils ont écrit sur cette lame de métal : *Ce pays est à nous.* Ce pays est à toi ! et pourquoi ? Parce que tu y as mis le pied ? Si un Tahitien débarquait un jour sur vos côtes, et qu'il gravât sur une de vos pierres ou sur l'écorce d'un de vos arbres : *Ce pays appartient aux habitants de Tahiti*, qu'en penserais-tu ? Tu es le plus fort ! Et qu'est-ce que cela fait ? Lorsqu'on t'a enlevé une des méprisables bagatelles dont ton bâtiment est rempli, tu t'es récrié, tu t'es vengé ; et dans le même instant tu as projeté au fond de ton cœur le vol de toute une contrée ! Tu n'es pas esclave : tu souffrirais la mort plutôt que de l'être, et tu veux nous asservir ! Tu crois donc que le Tahitien ne sait pas défendre sa liberté et mourir ? Celui dont tu veux t'emparer comme de la brute, le Tahitien est ton frère. Vous êtes deux enfants de la nature ; quel droit as-tu sur lui qu'il n'ait pas sur toi ? Tu es venu ; nous sommes-nous jetés sur ta personne ? avons-nous pillé ton vaisseau ? t'avons-nous saisi et exposé aux flèches de nos ennemis ? t'avons-nous associé dans nos champs au travail de nos animaux ? Nous avons respecté notre image en toi. Laisse-nous nos mœurs ; elles sont plus sages et plus honnêtes que les tiennes ; nous ne voulons point troquer ce que tu appelles notre ignorance contre tes inutiles lumières. Tout ce qui nous est nécessaire est bon, nous le possédons. Sommes-nous dignes de mépris parce que nous n'avons pas su faire des besoins superflus ? Lorsque nous avons faim, nous avons de quoi manger ; lorsque nous avons froid, nous avons de quoi nous vêtir. Tu es entré dans nos cabanes, qu'y manque-t-il à ton avis ? Poursuis jusqu'où tu voudras ce que tu appelles les commodités de la vie ; mais permets à des êtres sensés de s'arrêter, lorsqu'ils n'auraient à obtenir de la

---

1. **Orou :** un Tahitien qui parle le français et avec qui dialoguent les explorateurs.

continuité de leurs pénibles efforts, que des biens imaginaires. Si tu nous persuades de franchir l'étroite limite du besoin, quand finirons-nous de travailler ? »

TEXTE 5

Claude Lévi-Strauss, *Tristes Tropiques*, chap. XXXVIII, 1955.

« Jamais Rousseau n'a commis l'erreur de Diderot qui consiste à idéaliser l'homme naturel. Il ne risque pas de mêler l'état de nature et l'état de société ; il sait que ce dernier est inhérent à l'homme, mais il entraîne des maux : la seule question est de savoir si ces maux sont eux-mêmes inhérents à l'état. Derrière les abus et les crimes, on recherchera donc la base inébranlable de la société humaine. À cette quête, la comparaison ethnographique contribue de deux manières. Elle montre que cette base ne saurait être trouvée dans notre civilisation : de toutes les sociétés observées, c'est sans doute celle qui s'en éloigne le plus. D'autre part, en dégageant les caractères communs à la majorité des sociétés humaines, elle aide à constituer un type qu'aucune ne reproduit fidèlement, mais qui précise la direction où l'investigation doit s'orienter. [...] L'homme naturel n'est ni antérieur, ni extérieur à la société. Il nous appartient de retrouver sa forme, immanente à l'état social hors duquel la condition humaine est inconcevable ; donc de tracer le programme des expériences qui "seraient nécessaires pour parvenir à connaître l'homme naturel" et de déterminer "les moyens de faire ces expériences au sein de la société". Mais ce modèle – c'est la solution de Rousseau – est éternel et universel. Les autres sociétés ne sont peut-être pas meilleures que la nôtre ; même si nous sommes enclins à le croire, nous n'avons à notre disposition aucune méthode pour le prouver. À les mieux connaître, nous gagnons pourtant un moyen de nous détacher de la nôtre, non point que celle-ci soit absolument ou seule mauvaise, mais parce que c'est la seule dont nous devions nous affranchir : nous le sommes par état des autres. Nous nous mettons ainsi en mesure d'aborder la deuxième étape qui consiste, sans rien retenir d'aucune société, à les utiliser toutes pour dégager ces principes de la vie sociale qu'il nous sera possible d'appliquer à la réforme de nos propres mœurs, et non celles des sociétés étrangères. »

SUJET

a. Question préliminaire (sur 4 points)

Quelles sont les différences et les ressemblances dans la nature, le ton, le traitement de ces cinq textes sur la question du « sauvage », la position respective des auteurs ?

b. Travaux d'écriture (sur 16 points) – au choix

Sujet 1. Commentaire.

Vous ferez le commentaire du texte de Montaigne (texte 1).

Sujet 2. Dissertation.

Pensez-vous que le débat sur le « sauvage » puisse encore concerner les pays civilisés du XXIe siècle ? Dans un développement organisé et illustré d'exemples empruntés à vos lectures ou à vos expériences, vous tâcherez de répondre à cette question.

Sujet 3. Écriture d'invention.

Vous avez été amené à rencontrer une population ou une tribu (réelle ou imaginaire) vivant dans des conditions que vous jugez archaïques ou primitives. Vous écrivez à un parent adulte pour lui faire part de vos découvertes et lui exposer vos impressions et vos jugements.

Documentation et compléments d'analyse sur :
www.petitsclassiqueslarousse.com

L'œuvre à l'examen

À l' **oral** **Objets d'étude :** l'écriture narrative ; le registre ironique ; les combats des Lumières.

Début du chapitre VI, l. 1-38.

Sujet : lecture analytique de cet extrait montrant le sauvage en action.

I. Situation du passage

L'Ingénu, Huron du Canada débarqué en Bretagne, est pris en charge par un groupe de notables qui commencent à l'instruire puis s'empressent de le faire baptiser et lui donnent le nom d'Hercule. Sa marraine est Mlle de Saint-Yves, vertueuse jeune fille dont l'Ingénu s'éprend. Mais l'Église catholique interdit le mariage entre filleuls et marraines. Le Huron, insensible à ces subtilités, souhaite conclure le mariage et va, à cette occasion, illustrer la pertinence de son double patronyme : l'ingénuité perceptible à son mépris des usages, la force et l'impatience (dignes d'Hercule) visibles à la brutalité de l'irruption dans les appartements de sa promise.

L'œuvre à l'examen

II. Projet de lecture

Cette scène vivante et animée doit remplir trois fonctions : compléter le portrait psychologique du sauvage en le montrant en action ; souligner les différences culturelles en opposant deux mondes inconciliables, celui de la loi positive face à celui de la loi naturelle ; amuser le lecteur par une parodie du thème de l'amour contrarié à travers une scène burlesque, piquante, remplie de sous-entendus scabreux. On s'attachera à montrer l'imbrication de ces trois aspects, et la manière, pour le conteur, de dissimuler le message sérieux sous la bouffonnerie des situations.

III. Composition du passage

Le récit et la démonstration qu'il veut illustrer suivent une logique subtile en trois temps :

1. L'assaut : deux paragraphes qui montrent l'entrée brutale, le viol du domicile qui précède l'intention de viol de la maîtresse, le tout accompagné d'un échange vif de paroles (l. 1-16).

2. Le sauvetage : le passage à l'acte est interrompu par ce temps intermédiaire qui voit l'arrivée opportune du sauveur et de ses auxiliaires (l. 17-26).

3. La justification : moment d'apaisement, de retour au calme dans un paragraphe plus abstrait qui introduit le débat essentiel entre les comportements inspirés par la nature et ceux issus de la civilisation (l. 28-38).

Chacun des trois moments est marqué par un mélange de récit et de discours ; à chaque fois, l'action est commentée par un échange de répliques. La dynamique du passage reflète par ailleurs celle de tout le roman : le passage de la brutalité irréfléchie (« le brigandage naturel ») à la réflexion contrôlée. Le premier mot est « à peine » (marque d'urgence), le dernier « précautions » (signal de prudence et de maîtrise). Enfin ce plan est porteur de sens puisqu'il souligne la passivité (toute provisoire) de Mlle de Saint-Yves, soumise aux assauts de son amant d'abord, à la protection de son frère ensuite. La suite du roman montrera son émancipation.

L'œuvre à l'examen

IV. Analyse du passage

1. L'assaut

La première phrase doit montrer la précipitation et la hâte de l'assaut à travers quatre éléments syntagmatiques annonçant successivement l'arrivée, la demande, l'effraction, la prise de possession. La chambre, lieu de recueillement et de repos, protégée à la fois par la servante et par la porte, est réellement forcée. L'imparfait et le plus-que-parfait du récit (alors que nous attendrions des passés simples) présente l'événement comme un souvenir relaté par un narrateur. La réaction de Mlle de Saint-Yves est vive et caractérisée par l'accumulation des *vous* qui doivent marquer le contraste des réactions : l'indignation d'abord (premier « c'est vous »), le radoucissement ensuite (deuxième « c'est vous »). Le troisième temps, celui du passage à l'acte, joue autour du verbe « épouse » perçu différemment suivant qu'on est un sauvage d'Amérique ou une jeune fille bretonne. La situation libertine est rendue acceptable par l'ellipse des détails, la réalité de l'acte étant suggérée par le lien de conséquence : « en effet ».

Le deuxième paragraphe montre un Ingénu déconcerté et effleuré par deux hypothèses complémentaires : on se moque de lui (« raillerie »), on se conduit de façon absurde (« impertinentes »). Sa justification, au style direct, place les Européens devant leurs contradictions et rappelle que le bon sens se trouve, paradoxalement, du côté des primitifs. C'est lui qui va enseigner la *probité* et la *vertu* à ces civilisés qui ont oublié le sens de ces mots. Voltaire exploite à des fins satiriques le renversement inattendu des positions.

2. Le sauvetage

Avant que les secours n'arrivent, l'Ingénu, caractérisé par sa force physique, est sur le point de lancer un deuxième assaut. L'émotion est à son comble, mais elle est atténuée par le semi-consentement de la victime qui, nous signale-t-on avec ironie, est devenue « plus discrètement vertueuse ». Le mot *vertu* est l'objet d'une utilisation comique, le terme signifiant une chose et son contraire suivant qu'il désigne le comportement du Huron ou celui de sa fiancée (et même celui de la compagnie bretonne). Les sauveteurs qui surviennent au bon moment sont au nombre de quatre – un nombre nécessaire pour contrer l'agresseur (« l'assaillant »). Plus qu'un affrontement direct, l'abbé, conformément à son ministère, préfère le dialogue et tente de raisonner le jeune homme qui se défend par un argument imparable : la mise en accord des paroles et des actes. La volonté de Voltaire est de souligner avec malice la part de tromperie, d'hypocrisie que suppose la vie sociale. *L'Ingénu*, comme les *Lettres persanes,* met l'accent, par le procédé du regard neuf, sur les failles de nos usages. Le renversement des valeurs se poursuit : c'est le sauvage qui enseigne le civilisé.

3. La justification

La transition est assurée par la première phrase du paragraphe suivant, le « rajustement » de la Saint-Yves mettant un terme à la scène licencieuse digne de la littérature libertine. On change de décor (la chambre ne se prêtant pas à ce genre de discussion), et de ton, puisqu'on entame un débat théorique en deux temps, au style indirect d'abord, au style direct ensuite. L'abbé, porte-parole de la civilisation, fait appel aux règles de décence (« l'abbé lui remontra l'énormité du procédé »), puis, plutôt que de répondre sur le cas particulier, va généraliser la situation en opposant la loi positive à la loi naturelle. Or son argumentation se retourne contre lui : la nature accepte et même favorise l'union spontanée d'un homme et d'une femme qui se sont librement choisis, et le Huron, qui invoque les *privilèges* de la nature, le sait bien. C'est la loi des hommes qui complique artificiellement ce rapprochement des êtres, comme l'attestent les conditions du mariage mentionnées par l'abbé : *notaires, prêtres, témoins, contrats, dispenses.* Bel exemple d'ironie par antiphrase : ce qui est présenté comme évident et incontestable choque la logique et ne résiste pas à une analyse de bon sens. La réplique finale de l'Ingénu le confirme : ces complications révèlent la corruption des esprits chez les peuples civilisés.

L'œuvre à l'examen

V. Conclusion

Cette courte scène fournit un assez bon raccourci du roman :

1. Il s'agit d'abord d'un épisode amusant destiné à faire sourire par le contraste entre les mœurs rustiques du sauvage et la délicatesse des Européens. Ce choc des cultures (ressort essentiel du récit) se fait à l'occasion d'une situation galante, celle d'un assaut sexuel dont la grivoiserie est tempérée par l'innocence supposée du violeur et la complaisance de la victime. Les droits du conte sont sauvegardés, par le jeu sur les mots, sur les situations, par les allusions ironiques, par l'alternance de paroles directes et de discours rapporté.

2. L'épisode est également chargé d'une force satirique et polémique. La satire porte sur les faux-semblants du jeu social : la Saint-Yves, ravie de cette irruption de son amant, doit, au nom des convenances, résister et afficher son indignation. L'abbé ne reprend pas l'Ingénu sur la violence de son acte, mais sur le refus de se soumettre aux conventions religieuses et sociales. La dimension idéologique réside dans la leçon de relativisme et la remise en cause de l'ethnocentrisme. Voltaire – qui n'adhère pas au mythe du « bon sauvage » – se rapproche ici des thèses de plusieurs de ses contemporains : dans la confrontation avec les primitifs, nous avons souvent plus à apprendre d'eux que l'inverse. La suite du roman montrera que cet éloge de l'état de nature doit s'assortir de réserves. D'un point de vue strictement narratif, cet épisode drôle aura des conséquences désastreuses.

AUTRES SUJETS TYPES

- l'art du récit et l'écriture narrative (chapitre I, l. 40-80).
- l'argumentation (chapitre VIII, l. 14-55).
- le registre de l'ironie et de la satire (chapitre XVI, l. 16-64).
- le pathétique (chapitre XX, l. 104-161).

 Documentation et compléments d'analyse sur :
www.petitsclassiqueslarousse.com

Outils de lecture

Lexique littéraire

Conte
Récit généralement assez court qui raconte des faits imaginaires ou merveilleux. Les contes sont souvent issus d'une tradition orale et souhaitent délivrer une morale. Le conte philosophique ajoute la volonté d'illustrer une question de nature sociale ou philosophique.

Dilemme
Situation ambivalente qui impose un choix entre deux solutions incompatibles mais toutes deux défendables.

Ellipse
Omission d'un mot ou d'un événement qu'on laisse le soin au lecteur d'imaginer (ainsi l'ellipse du viol de Saint-Pouange).

Éponyme
Un héros éponyme est celui qui donne son nom à l'œuvre, c'est souvent le cas chez Voltaire : *Zadig, Candide, L'Ingénu*, etc.

Ethnocentrisme
Attitude qui consiste à considérer son propre modèle culturel comme exemplaire et donc à dévaluer les autres.

Didactique
Qui a la volonté d'enseigner, de démontrer.

Intertextualité
Traces, dans une œuvre, d'un texte antérieur, soit sous forme de citation, soit sous forme d'allusion ou d'écho.

Ironie
Manière de se moquer de façon indirecte, notamment par le recours à l'antiphrase.

Oxymore
Réunion de mots de sens opposé, par exemple « martial et doux » pour définir l'Ingénu au chapitre I.

Pamphlet
Écrit court et satirique qui s'attaque, sur le ton polémique, à une personne ou à une institution politique ou religieuse.

Parabole
Longue comparaison ou développement imagé qui doivent déboucher sur une leçon morale qu'on laisse au lecteur le soin de deviner et de comprendre.

Polémique
Adjectif ou nom qui s'applique à une attitude qui illustre un combat critique, une protestation agressive.

Romanesque
En tant que substantif, le mot désigne ce qui relève d'une tradition propre aux romans populaires, sentimentaux ou d'aventures.

Satire
Représentation moqueuse d'une institution, d'une doctrine, d'un caractère, d'un défaut.

Outils de lecture

Glossaire religieux

Arnauld (1612-1694)

Antoine Arnauld, surnommé « le Grand Arnauld », dirigea en France le parti janséniste et rédigea la *Grammaire de Port-Royal*. Son successeur fut le père Quesnel (1634-1719), à qui Voltaire attribue facétieusement la rédaction de *L'Ingénu*.

Augustin (saint, 354-430)

Évêque d'Hippone (Algérie), père de l'Église dont s'inspirèrent les jansénistes, notamment sur la question de la « grâce ».

Casuistique

Littéralement « étude des cas », c'est-à-dire, pour les directeurs de conscience ou les confesseurs, argumentation qui permet de répondre aux situations morales ambiguës. Les jésuites passaient pour en être les champions – à l'image de celui que consulte Mlle de Saint-Yves (chap. XVI).

Gallicanisme

Doctrine religieuse qui encourageait la France (*Gallia* : la Gaule) à s'émanciper par rapport à la papauté. Son contraire est l'« ultramontanisme », entièrement dévoué au pape.

Grâce

Question théologique essentielle et controversée qui désigne la faveur que Dieu accorde aux fidèles pour échapper au mal et assurer leur salut. Pour les jésuites, tous les chrétiens méritaient cette grâce qu'on nommait « efficace ». À l'inverse, les jansénistes n'accordaient ce type de grâce qu'aux « élus », c'est-à-dire à ceux que Dieu avait choisis.

Huguenots

Terme, venu de l'allemand Eidgenossen, « confédérés », qui désigna au XVIᵉ siècle les réformés de Genève et que les catholiques appliquèrent aux protestants calvinistes (voir *Protestants*).

Jansénisme

Doctrine de l'évêque hollandais Jansénius (1585-1638), auteur de l'*Augustinus* (1640), livre inspiré par saint Augustin qui limite la grâce aux seuls élus et conteste la liberté humaine. Outre Arnauld, on compte parmi les jansénistes importants l'abbé de Saint-Cyran, le théologien Nicole, Quesnel et, de manière moins militante, Pascal.

Jésuites

Représentants de la « Compagnie de Jésus » (ou « Société de Jésus », abrégée S.J.), fondée par Ignace de Loyola en 1540. Ils se chargeaient principalement d'assurer l'enseignement et l'évangélisation des pays neufs. On leur reprochait un christianisme dogmatique et parfois dévoyé ainsi qu'une implication dans la vie politique. Ils sont expulsés de France en 1764.

Outils de lecture

La Chaise
Ce jésuite français fut confesseur de Louis XIV à partir de 1674. Il encouragea le roi à combattre les jansénistes et, peut-être, à révoquer l'édit de Nantes.

Manichéen
Partisan de la doctrine de Manès (ou Manichée), selon laquelle le monde se divise selon une ligne de partage qui oppose le bien et le mal.

Molinisme
Doctrine du jésuite espagnol Molina (1535-1601) proche, en moins pessimiste, du jansénisme. Les fidèles pouvaient en effet, au moyen de la prière et de la sagesse, gagner la grâce divine.

Providence
Force supérieure que l'on peut assimiler à Dieu et qui régit les événements présidant au cours de l'humanité. L'homme ne peut, théoriquement, pénétrer les « desseins de la Providence » – qui ne lui sont d'ailleurs pas toujours favorables.

Protestants
Nom générique donné aux adeptes de la Réforme qui, au XVIe siècle sous l'influence de Calvin et de Luther, se séparèrent de l'Église romaine. Ils réclament un retour aux textes sacrés, refusent la hiérarchie de l'Église et l'autorité du pape, souhaitent une pratique plus humble et plus austère de la religion. L'édit de Nantes, promulgué par Henri IV en 1598, autorisait la religion protestante ; il fut révoqué par Louis XIV en 1685 sous l'influence des jésuites.

Quiétisme
Doctrine religieuse défendue par Mme Guyon (soutenue par Fénelon) qui prône un amour mystique grâce auquel le chrétien se met à l'abri du péché. Bossuet fit condamner cette position (cf. chap. XIII).

Bibliographie filmographie

Éditions de l'œuvre

• Voltaire, *L'Ingénu*, édition critique de W. R. Jones, Droz, 1957.

• Voltaire, *Romans et contes*, éd. F. Deloffre et J. Van den Heuvel, Gallimard, Bibliothèque de la Pléiade, 1979.

• Voltaire, *L'Ingénu*, édition de H. Bénac, Classiques Garnier, 1983.

• Voltaire, *Romans et contes en vers et en prose*, Le Livre de Poche, « La Pochothèque », 1994.

Sur Voltaire et son œuvre

• Jean Goldzink, *Voltaire de A à V*, Hachette, 1994.

• J.-M. Goulemot, A. Magnan, D. Masseau, *Inventaire Voltaire*, Gallimard, coll. « Quarto », 1995.

• Pierre Lepape, *Voltaire le conquérant*, Le Seuil, 1994.

• Christiane Mervaud, *Voltaire en toutes lettres*, Bordas, 1991.

• Jean Orieux, *Voltaire*, Flammarion, coll. « Champs », deux tomes, 1977.

• René Pomeau, *Voltaire par lui-même*, Seuil (1955), rééd. « Points », 1994.

• René Pomeau et collaborateurs, V*oltaire en son temps*, cinq volumes, *Studies of Voltaire*, Oxford, 1985-1994.

Sur les romans et les contes

• Pierre-Georges Castex, *Voltaire : Micromégas, Candide, L'Ingénu*, SEDES, 1959 (rééd. 1982).

• Henri Coulet, *Le Roman français jusqu'à la Révolution*, Armand Colin, nouv. édition, 2000.

Bibliographie • filmographie

• Jacques Van de Heuvel, *Voltaire dans ses contes*, Armand Colin, 1967.

Sur *L'Ingénu*

• Véronique Anglard, *L'Ingénu*, coll. « Résonances », Ellipses, 1995.

• Svi Lévy, « *L'Ingénu* ou l'anti-*Candide* », Studies on Voltaire, vol. 183, Oxford, 1980.

• Christiane Mervaud, « Sur l'activité ludique de Voltaire conteur : le problème de *L'Ingénu* », *L'Information littéraire*, n° 1, 1983.

• Marie-Emmanuelle Plagnol-Diéval, *L'Ingénu*, coll. « Profil d'une œuvre », Hatier, 1989.

• Jean Starobinski, « Le fusil à deux coups de Voltaire : L'Ingénu sur la plage », in *Le Remède dans le mal*, Gallimard, 1989.

Adaptations

• Giovanni Pacini, *L'Ingenua*, opéra, 1816.

• C. Méré et R. Gignoux, *L'Ingénu*, comédie en trois actes, 1913.

• Xavier Leroux, *l'Ingénu*, opéra, 1928.

• Jean-Pierre Marchand, *L'Ingénu*, adaptation télévisée par Jean Cosmos, 1975.

Direction de la collection : Carine Girac-Marinier

Direction éditoriale : Jacques FLORENT
avec le concours de Romain LANCREY-JAVAL

Édition : Patricia MAIRE, avec la collaboration de Marie-Hélène Christensen

Lecture-correction : service Lecture-correction Larousse

Recherche iconographique : Valérie PERRIN, Laure BACCHETTA

Direction artistique : Uli MEINDL

Couverture et maquette intérieure : Serge CORTESI

Responsable de fabrication : Marlène DELBEKEN

Crédits photographiques

Photocomposition : CGI
Impression : Rotolito Lombarda (Italie)
Dépôt légal : Août 2006 – N° de projet : 11010565 – Janvier 2010